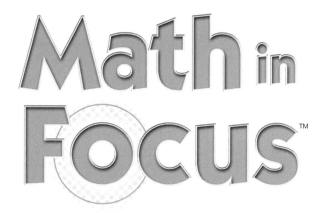

Math in Focus™

Matemáticas de Singapur de Marshall Cavendish

Libro del estudiante

Consultor y autor
Dr. Fong Ho Kheong

Autores
Chelvi Ramakrishnan y Michelle Choo

Consultores en Estados Unidos
Dr. Richard Bisk, Andy Clark,
y Patsy F. Kanter

Marshall Cavendish
Education

HOUGHTON
MIFFLIN
HARCOURT

© 2011 Marshall Cavendish International (Singapore) Private Limited

Published by Marshall Cavendish Education
An imprint of Marshall Cavendish International (Singapore) Private Limited
Times Centre, 1 New Industrial Road, Singapore 536196
Customer Service Hotline: (65) 6411 0820
E-mail: tmesales@sg.marshallcavendish.com
Website: www.marshallcavendish.com/education

Distributed by
Houghton Mifflin Harcourt
222 Berkeley Street
Boston, MA 02116
Tel: 617-351-5000
Website: www.hmheducation.com/mathinfocus

English Edition first published 2009
Spanish Edition first published 2011

Marshall Cavendish and *Math in Focus™* are trademarks of Times Publishing Limited.

Math in Focus™ Grade 3 Student Book B
ISBN 978-0-547-58240-5

Printed in United States of America

1 2 3 4 5 6 7 8   1401   17 16 15 14 13 12 11
4500292887   A B C D E

Contenido

10 El dinero

Busca la **Práctica y Resolución de problemas**

Libro del estudiante A y Libro del estudiante B	Cuaderno de actividades A y Cuaderno de actividades B
• **Practiquemos** en cada lección	• **Práctica independiente** para cada lección
• ¡Ponte la gorra de pensar! en cada capítulo	• ¡Ponte la gorra de pensar! en cada capítulo

Busca **Oportunidades de evaluación**

Libro del estudiante A y Libro del estudiante B	Cuaderno de actividades A y Cuaderno de actividades B
• **Repaso rápido** al comienzo de cada capítulo para evaluar la preparación para el capítulo	• **Repasos acumulativos** siete veces durante el año
• **Práctica con supervisión** después de uno o dos ejemplos para evaluar la preparación para continuar con la lección	• **Repaso semestral** y **Repaso de fin de año** para evaluar la preparación para la prueba
• **Repaso/Prueba del capítulo** en cada capítulo para repasar o evaluar el material del capítulo	

Medidas métricas de longitud, masa y volumen

12 Problemas cotidianos: Medidas

Gráficas de barras y diagramas de puntos

 # Fracciones

Medidas usuales de longitud, peso y capacidad

16 La hora y la temperatura

Ángulos y líneas

Figuras bidimensionales

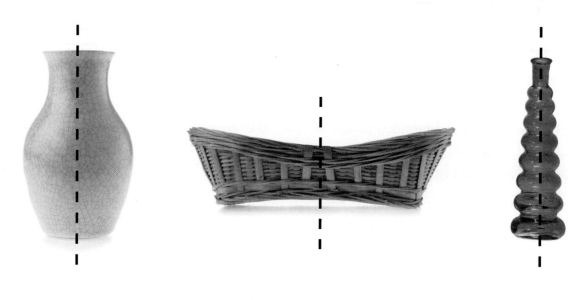

Área y perímetro

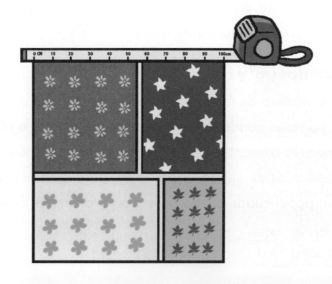

Math in Focus™

Este fantástico programa de matemáticas llega desde el país de Singapur. Estamos seguros de que disfrutarás aprendiendo matemáticas con las interesantes lecciones que hallarás en estos libros.

¿Qué hace que *Math in Focus*™ sea un programa diferente?

▶ **Dos libros** Este libro viene con un **Cuaderno de actividades**. Cuando veas el ícono del lápiz, , escribe en el **Cuaderno de actividades** en lugar de escribir en las   de este libro de texto.

▶ **Lecciones más extensas** Es posible que algunas lecciones tomen más de un día, para que puedas comprender completamente las matemáticas.

▶ **Las matemáticas tendrán sentido** Aprenderás a usar modelos de barras para resolver problemas con facilidad.

En este libro, hallarás

Aprende	Práctica con supervisión	Practiquemos	POR TU CUENTA
Significa que aprenderás algo nuevo.	En esta sección, tu maestro te ayudará a hacer ejemplos de varios problemas.	Aquí harás otros problemas para practicar lo que has aprendido. Así puedes estar seguro de que has comprendido.	Ahora puedes practicar con muchos problemas diferentes en tu propio **Cuaderno de actividades.**

¡También hallarás *Juegos, Manos a la obra, Diarios de matemáticas, Exploremos* y *¡Ponte la gorra de pensar!*
Combinarás el razonamiento lógico con destrezas y conceptos de matemáticas para resolver problemas sin dificultad. Hablarás, pensarás, practicarás e, incluso, escribirás usando el lenguaje de las matemáticas.

¿Qué hay en Cuaderno de actividades?

Math in Focus™ te da el tiempo necesario para aprender nuevos conceptos y destrezas de importancia y para comprobar tu comprensión. En el **Cuaderno de actividades** hallarás ejercicios para practicar como se indica a continuación.

▶ Resolverás problemas adicionales para practicar el nuevo concepto de matemáticas que estés aprendiendo. Presta atención a **POR TU CUENTA** en el libro de texto. Este símbolo te indicará qué páginas debes usar para practicar.

▶ *¡Ponte la gorra de pensar!*

Los problemas de *Práctica avanzada* te enseñarán a pensar en otras maneras de resolver problemas más difíciles.

En *Resolución de problemas* aprenderás a resolver problemas usando diferentes estrategias.

▶ En las actividades del *Diario de matemáticas* aprenderás a usar tu razonamiento y a describir tus ideas ¡por escrito!

Los estudiantes de Singapur han usado este programa de matemáticas por muchos años. Ahora tú también puedes hacerlo... ¿Estás listo?

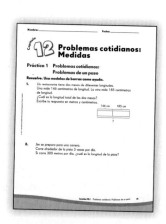

El dinero

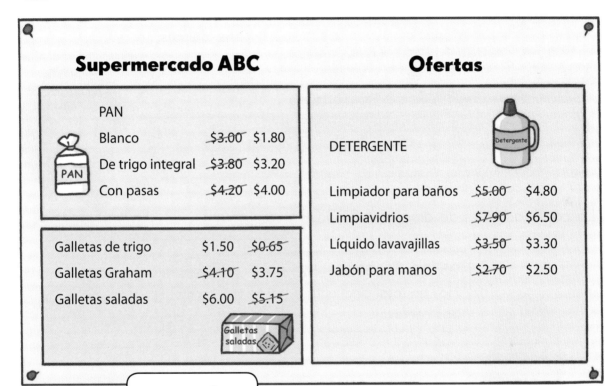

Supermercado ABC

PAN

Blanco	~~$3.00~~	$1.80
De trigo integral	~~$3.80~~	$3.20
Con pasas	~~$4.20~~	$4.00

Galletas de trigo	$1.50	~~$0.65~~
Galletas Graham	~~$4.10~~	$3.75
Galletas saladas	$6.00	~~$5.15~~

Ofertas

DETERGENTE

Limpiador para baños	~~$5.00~~	$4.80
Limpiavidrios	~~$7.90~~	$6.50
Líquido lavavajillas	~~$3.50~~	$3.30
Jabón para manos	~~$2.70~~	$2.50

¡Mira, mamá! Hay ofertas en el supermercado.

Mis galletas de trigo preferidas tienen un descuento de 85¢. ¿Puedo comprar 2 cajas?

Si compramos ahora, podemos ahorrar.

Claro.

Lecciones

IDEA IMPORTANTE

▶ Puedes sumar y restar dinero de la misma manera en que sumas y restas números enteros.

Recordar conocimientos previos

Contar para hallar el valor

10, 20, 25, 30, 31, 32, 33. Hay en total treinta y tres dólares.

La cantidad total de dinero es $33.00.

25, 35, 45, 50, 51, 52. Hay en total cincuenta y dos centavos.

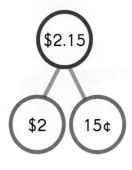

La cantidad total de dinero es $0.52.

Convertir dólares con centavos a centavos

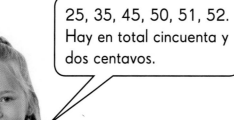

$1 = 100¢
$2 = 200¢
$2.15 = 200¢ + 15¢
       = 215¢

Convertir centavos a dólares con centavos

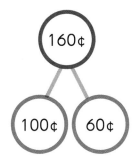

$$100¢ = \$1$$
$$160¢ = \$1.60$$

Sumar y restar

```
  4 1 7          ¹                    ⁵ ¹³
+ 3 0 2        1 8 5        8 9 5      6̸ 4̸ ¹4
───────      + 7 6 2      − 5 3 4    − 3 7 8
  7 1 9      ───────      ───────    ───────
               9 4 7        3 6 1      2 6 6
```

✔ **Repaso rápido**

Convierte dólares con centavos a centavos.

1 $5.05 = _____ ¢

2 $12.90 = _____ ¢

Convierte centavos a dólares con centavos.

3 180¢ = $ _____

4 3045¢ = $ _____

Suma.

5 56 + 865 = _____

6 308 + 596 = _____

Resta.

7 485 − 32 = _____

8 310 − 172 = _____

 **Suma**

Objetivos de la lección

- Sumar dinero de diferentes maneras sin reagrupación.
- Sumar dinero de diferentes maneras con reagrupación.

Aprende Suma dólares usando números conectados.

Papá compra un paquete de queso a $5.35.
También compra un frasco de mantequilla de cacahuate a $2.00.
¿Cuánto gastó papá en total?

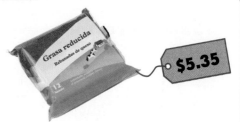

+

$5.35 + $2.00 = ?

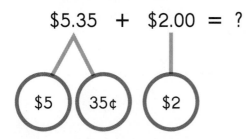

$5   35¢ $2

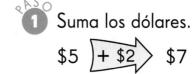

PASO 1 Suma los dólares.

$5 + $2 $7

PASO 2 Suma 35¢ a $7.

$7 + 35¢ $7.35

Papá gastó en total $7.35.

Práctica con supervisión

Suma los dólares. Luego, suma los centavos a los dólares.

1 $2.15 + $7.00 = $ ▢

2 $5.00 + $3.75 = $ ▢

3 $6.45 + $4.00 = $ ▢

4 $12.35 + $8.00 = $ ▢

Suma centavos usando números conectados.

Mary compra una canasta de manzanas a $3.20.
También compra una naranja a $0.55.
¿Cuánto gastó Mary en total?

 **$3.20**    **$0.55**

 +

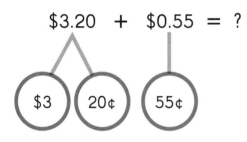

$3.20 + $0.55 = ?

$3   20¢   55¢

 PASO 1 Suma los centavos.

20¢ + 55¢ → 75¢

 PASO 2 Suma $3 a 75¢.

75¢ + $3 → $3.75

Mary gastó en total $3.75.

Práctica con supervisión

Suma los centavos. Luego, suma los dólares a los centavos.

5 $0.40 + $4.25 = $

6 $5.40 + $0.55 = $

7 $15.25 + $0.15 = $

8 $3.25 + $0.65 = $

Suma dólares y centavos usando números conectados.

Tommy compra una caja de copos de maíz a $5.35.
También compra una lata de sopa a $2.40.
¿Cuánto gastó Tommy en total?

$5.35   + $2.40 = ?

$5   35¢ $2   40¢

PASO 1 Suma los dólares.

$5 + $2 → $7

PASO 2 Suma los centavos.

35¢ + 40¢ → 75¢

PASO 3 Suma 75¢ a $7.

$7 + 75¢ → $7.75

Tommy gastó en total $7.75.

Práctica con supervisión

Suma los dólares. Suma los centavos.
Luego, suma los centavos a los dólares.

9 $8.15 + $1.45 = $

10 $3.35 + $6.60 = $

11 $21.15 + $7.75 = $

12 $5.45 + $18.35 = $

Aprende

Suma centavos para formar un dólar.
Luego, suma los dólares.

Mamá compra una botella de detergente para la ropa a $9.15.
También compra una botella de suavizante para telas a $3.85.
¿Cuánto gastó en total?

$9.15 + $3.85 = ?

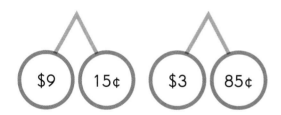

$9 15¢ $3 85¢

PASO 1 Suma los centavos para formar un dólar.

15¢ + 85¢ → $1

PASO 2 Suma los dólares.

$9 + $3 + $1 → $13

Mamá gastó en total $13.

Práctica con supervisión

Suma los centavos para formar un dólar. Luego, suma los dólares.

13 $6.45 + $3.55 = $

14 $7.35 + $8.65 = $

15 $11.15 + $8.85 = $

16 $14.25 + $15.75 = $

Suma dólares y centavos usando números conectados.

Un DVD cuesta $12.35. Un libro cuesta $4.95.
¿Cuál es el costo total del DVD y el libro?

$12.35 + $4.95 = ?

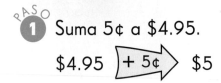

PASO 1 Suma 5¢ a $4.95.

$4.95 + 5¢ → $5

PASO 2 Suma $12.30 a $5.

$5 + $12.30 → $17.30

El DVD y el libro cuestan $17.30.

Práctica con supervisión

Suma. Usa números conectados como ayuda.

17 $3.55 + $4.95 = $ ⬜

18 $6.25 + $8.90 = $ ⬜

19 $12.75 + $3.80 = $ ⬜

20 $15.65 + $4.85 = $ ⬜

Suma usando la estrategia "sumar un dólar y restar los centavos que sobran".

Un envase de tizas de colores cuesta $6.70.
Un cuaderno de dibujo cuesta $0.80.
¿Cuál es el costo total de las tizas y el cuaderno de dibujo?

$6.70 + $0.80 = ?

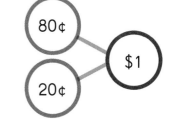

Sumar 80¢ es igual que sumar $1 y restar 20¢.

PASO 1 $6.70 $\boxed{+ \$1}$ $7.70

PASO 2 $7.70 $\boxed{- 20¢}$ $7.50

Las tizas y el cuaderno de dibujo cuestan $7.50.

Práctica con supervisión

Escribe cada cantidad que falta.

21 $4.80 + $0.90 = ?

$4.80 $\boxed{+ \$}$ $

$ $\boxed{- ¢}$ $

$4.80 + $0.90 = $

22 $23.65 + $0.95 = ?

$23.65 $\boxed{+ \$}$ $

$ $\boxed{- ¢}$ $

$23.65 + $0.95 = $

Suma usando la estrategia "sumar dólares enteros y restar los centavos que sobran".

La señora Rodgers compra una casa de muñecas y un animal de peluche para sus niños.

La casa de muñecas cuesta $15.80 y el animal de peluche cuesta $7.95. ¿Cuánto gastó la señora Rodgers en los dos juguetes?

$15.80 + $7.95 = ?

Sumar $7.95 es igual que sumar $8 y restar 5¢.

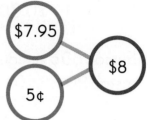

PASO 1 $15.80  $23.80

PASO 2 $23.80 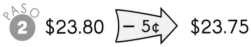 $23.75

La señora Rodgers gastó $23.75 en los dos juguetes.

Práctica con supervisión

Escribe cada cantidad que falta.

23 $16.70 + $5.85 = ?

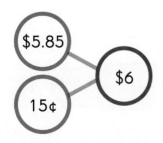

$16.70 + $5.85 = $ ⬚

24 $27.85 + $7.65 = ?

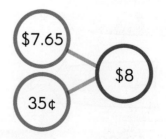

$27.85 + $7.65 = $ ⬚

Convierte dólares con centavos a centavos. Luego, suma.

$8.75 + $2.20 = ?

$$
\begin{array}{r}
\$8\,.\,7\,5 \\
+\ \$2\,.\,2\,0 \\
\hline
\end{array}
$$

Esta es una manera de sumar dólares con centavos.

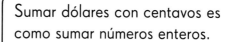

 1 Convierte los dólares con centavos a centavos.

$$
\begin{array}{r}
8\,7\,5¢ \\
+\ \ 2\,2\,0¢ \\
\hline
\end{array}
$$

Sumar dólares con centavos es como sumar números enteros.

$$
\begin{array}{r}
8\,7\,5 \\
+\ \ 2\,2\,0 \\
\hline
1\,0\,9\,5
\end{array}
$$

 2 Suma los centavos.

$$
\begin{array}{r}
8\,7\,5¢ \\
+\ \ 2\,2\,0¢ \\
\hline
1\,0\,9\,5¢
\end{array}
$$

 3 Escribe la suma como dólares con centavos.

1095¢ = $10.95

$8.75 + $2.20 = $10.95

Práctica con supervisión

Escribe cada cantidad que falta.

25 $9.30 + $15.45 = ?

$$
\begin{array}{r}
\$\ \ 9\,.\,3\,0 \\
+\ \$1\,5\,.\,4\,5 \\
\hline
\$2\,4\,.\,7\,5
\end{array}
\qquad\longrightarrow\qquad
\begin{array}{r}
\underline{}¢ \\
+\ \underline{}¢ \\
\hline
\underline{}¢
\end{array}
$$

_____ ¢ = $ _____

$9.30 + $15.45 = $ _____

Suma dinero.

Halla la suma de $8.35 y $2.85.

Esta es otra manera de sumar dólares con centavos.

+

$8.35 + $2.85 = ?

 PASO 1 Suma los centavos.

 PASO 2 Suma los dólares.

Suma como lo harías con números enteros.

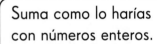

```
      1 1
    8 3 5
+   2 8 5
─────────
  1 1 2 0
```

```
      1 1
$  8 . 3 5
+$  2 . 8 5
──────────
$    . 2 0
```

```
      1 1
$  8 . 3 5
+$  2 . 8 5
──────────
$ 1 1 . 2 0
```

$8.35 + $2.85 = $11.20

Práctica con supervisión

Suma.

26
```
  $  7 . 4 5
+ $  9 . 7 5
───────────
  $
```

27
```
  $ 1 6 . 0 5
+ $ 2 8 . 9 5
────────────
  $
```

 **Manos a la obra**

 **TRABAJAR EN PAREJAS**

Materiales:
- juego de monedas
- juego de billetes

Observa el anuncio.

Ofertas de fin de semana

Palomitas de maíz $4.50

Comida para gatos 60¢

PALOMITAS DE MAÍZ

Pilas $3.85

Impermeable $16.70

Reproductor de mp3 $85.40

Peine $1.10

Paraguas $9.30

PASO 1 Halla cada costo.

1 una lata de comida para gatos y una caja de palomitas de maíz $

2 un reproductor de mp3 y un paquete de pilas $

3 dos peines $

4 un impermeable y un paraguas $

5 un impermeable y un reproductor de mp3 $

6 dos reproductores de mp3 $

PASO 2 Tu compañero comprueba cada cantidad con el juego de dinero.

PASO 3 Túrnate para hacer el **PASO 1** y el **PASO 2**.

Suma.

1 $7.35 + $6.00 = $ [ ]

2 $5.45 + $0.35 = $ [ ]

3 $9.30 + $2.55 = $ [ ]

4 $25.35 + $24.65 = $ [ ]

Escribe cada cantidad que falta.

5 $7.50 + $4.90 = $ [ ]

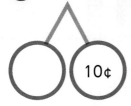

10¢

6 $8.35 + $0.75 = ?

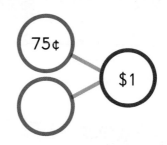

75¢

$1

$8.35 + $0.75 = $ [ ]

Suma.

7
```
  $3.25
+ $5.70
```
$ [ ]

8
```
  $35.65
+ $54.20
```
$ [ ]

> Sumar dinero es como sumar números enteros.

Suma.

9
```
  $6.45
+ $8.55
```
$ [ ]

10
```
  $56.75
+ $24.95
```
$ [ ]

POR TU CUENTA

Ver Cuaderno de actividades B:
Prácticas 1 a 3, págs. 1 a 6

10.2 Resta

Objetivos de la lección

- Restar dinero de diferentes maneras sin reagrupación.
- Restar dinero de diferentes maneras con reagrupación.

Aprende

Resta dólares usando números conectados.

Tristán tiene $32.25.
Compra un par de zapatos a $21.00.
¿Cuánto dinero le quedó a Tristán?

$$\$32.25 \; - \; \$21.00 \; = \; ?$$

$32   25¢ $21

PASO 1 Resta los dólares.

$32 − $21 → $11

PASO 2 Suma 25¢ a $11.

$11 + 25¢ → $11.25

A Tristán le quedaron $11.25.

Práctica con supervisión

Resta los dólares. Luego, suma los centavos a los dólares.

1 $17.85 − $4.00 = $

2 $15.45 − $8.00 = $

Resta centavos usando números conectados.

Kay tenía $28.95.
Después de comprar una camiseta, le quedaron $0.50.
¿Cuánto pagó por la camiseta?

$28.95 − $0.50 = ?

$28   95¢   50¢

^{PASO} **1** Resta los centavos.

95¢ − 50¢ → 45¢

^{PASO} **2** Suma 45¢ a $28.

$28 + 45¢ → $28.45

Kay pagó $28.45 por la camiseta.

Práctica con supervisión

Resta los centavos. Luego, suma los dólares con los centavos.

3 $21.75 − $0.30 = $ ____

4 $18.80 − $0.50 = $ ____

5 $23.95 − $0.70 = $ ____

6 $32.50 − $0.40 = $ ____

Resta dólares y centavos usando números conectados.

Alex compra una chaqueta a $79.65.
También compra una camisa a $43.25.
¿Cuánto más cuesta la chaqueta que la camisa?

$79.65 − $43.25 = ?

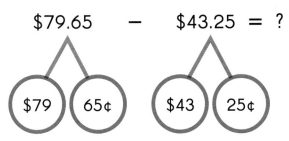

$79   65¢ $43   25¢

PASO 1 Resta los dólares.

$79 − $43 → $36

PASO 2 Resta los centavos.

65¢ − 25¢ → 40¢

PASO 3 Suma 40¢ a $36.

$36 + 40¢ → $36.40

La chaqueta cuesta $36.40 más que la camisa.

Práctica con supervisión

Resta los dólares. Resta los centavos.
Luego, suma los dólares a los centavos.

7 $65.75 − $12.45 = $

8 $78.65 − $23.05 = $

9 $49.80 − $27.70 = $

10 $83.95 − $31.50 = $

Resta usando la estrategia "restar un dólar y sumar los centavos que faltan".

Una sandía cuesta $4.70.
Una manzana cuesta $0.80.
¿Cuánto menos cuesta la manzana que la sandía?

$4.70 − $0.80 = ?

Restar 80¢ es igual que restar $1
y sumar 20¢.

80¢
20¢
$1

PASO
1 $4.70 ⟩ − $1 ⟩ $3.70

PASO
2 $3.70 ⟩ + 20¢ ⟩ $3.90

La manzana cuesta $3.90 menos que la sandía.

Práctica con supervisión

Escribe cada cantidad que falta.

11 $5.60 − $0.90 = ?

$5.60 ⟩ − $ ⟩ $ ____

$ ____ ⟩ + ____ ¢ ⟩ $ ____

$5.60 − $0.90 = $ ____

12 $12.55 − $0.95 = ?

$12.55 ⟩ − $ ⟩ $ ____

$ ____ ⟩ + ____ ¢ ⟩ $ ____

$12.55 − $0.95 = $ ____

Resta usando la estrategia "restar dólares enteros y sumar los centavos que sobran".

Tim tenía $9.70.
Compró una taza a $4.90.
¿Cuánto dinero le quedó?

$9.70 − $4.90 = ?

Restar $4.90 es igual que restar $5 y sumar 10¢.

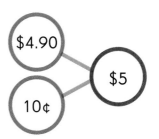

PASO 1 $9.70 $\boxed{- \$5}$ $4.70

PASO 2 $4.70 $\boxed{+ 10¢}$ $4.80

A Tim le quedaron $4.80.

Práctica con supervisión

Escribe cada cantidad que falta.

13 $8.40 − $5.80 = ?

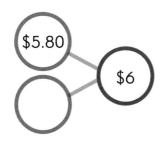

$8.40 − $5.80 = $ ____

14 $15.45 − $8.95 = ?

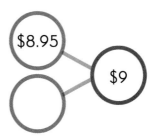

$15.45 − $8.95 = $ ____

Aprende

Convierte dólares con centavos a centavos. Luego, resta.

$9.65 − $4.30 = ?

$$
\begin{array}{r}
\$9\,.\,6\,5 \\
-\ \$4\,.\,3\,0 \\
\hline
\end{array}
$$

Esta es una manera de restar dólares con centavos.

PASO 1 Convierte los dólares con centavos a centavos.

$$
\begin{array}{r}
9\,6\,5¢ \\
-\ 4\,3\,0¢ \\
\hline
\end{array}
$$

Restar dólares con centavos es como restar números enteros.

$$
\begin{array}{r}
9\,6\,5 \\
-\ 4\,3\,0 \\
\hline
5\,3\,5
\end{array}
$$

PASO 2 Resta los centavos.

$$
\begin{array}{r}
9\,6\,5¢ \\
-\ 4\,3\,0¢ \\
\hline
5\,3\,5¢
\end{array}
$$

PASO 3 Escribe la diferencia como dólares con centavos.

535¢ = $5.35

$9.65 − $4.30 = $5.35

Práctica con supervisión

Escribe cada cantidad que falta.

15 $11.85 − $4.55 = ?

$$
\begin{array}{r}
\$1\,1\,.\,8\,5 \\
-\ \$\ \ 4\,.\,5\,5 \\
\hline
\$\ \ 7\,.\,3\,0
\end{array}
$$
→
$$
\begin{array}{r}
\boxed{}¢ \\
-\ \boxed{}¢ \\
\hline
\boxed{}¢
\end{array}
$$

$\boxed{}$ ¢ = $ $\boxed{}$

$11.85 − $4.55 = $ $\boxed{}$

Resta dinero.

Halla la diferencia entre $27.30 y $15.40.

Esta es otra manera de restar dólares con centavos.

$27.30 − $15.40 = ?

1 Reagrupa $27.30.

$27.30 = $26 + 130¢

$27.30
  /   \
 $26
 130¢

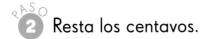

2 Resta los centavos.

$$\begin{array}{r} \$2\,\overset{6}{\cancel{7}}.{}^{1}3\,0 \\ -\ \$1\,5\,.\,4\,0 \\ \hline \$\ \ \ \ .\,9\,0 \end{array}$$

Resta como lo harías con números enteros.

$$\begin{array}{r} 2\,\overset{6}{\cancel{7}}\,{}^{1}3\,0 \\ -\ 1\,5\ 4\,0 \\ \hline 1\,1\ 9\,0 \end{array}$$

3 Resta los dólares.

$$\begin{array}{r} \$2\,\overset{6}{\cancel{7}}.{}^{1}3\,0 \\ -\ \$1\,5\,.\,4\,0 \\ \hline \$1\,1\,.\,9\,0 \end{array}$$

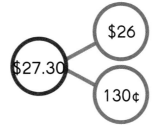

Práctica con supervisión

Resta. Usa números conectados como ayuda.

16
$18.30
− $ 2.40
$ ⬚

Reagrupa.

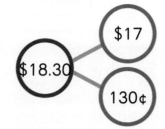

17
$11.25
− $ 3.15
$ ⬚

Reagrupa.

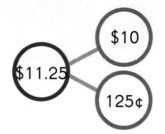

18
$25.00
− $ 7.85
$ ⬚

Reagrupa.

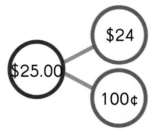

19
$50.00
− $24.70
$ ⬚

Reagrupa.

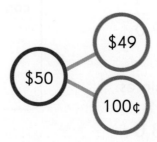

Practiquemos

Resta mentalmente.

1 $9.45 − $5.00 = $ _____

2 $12.65 − $0.20 = $ _____

3 $23.85 − $0.40 = $ _____

4 $48.70 − $15.45 = $ _____

Escribe cada cantidad que falta.

5 $7.50 − $0.80 = ?

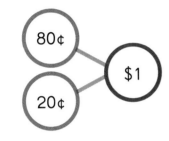

$7.50 − $0.80 = $ _____

6 $15.35 − $6.75 = ?

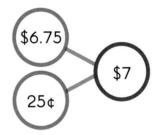

$15.35 − $6.75 = $ _____

Resta.

7
$12.65
− $11.30
_____
$ _____

8
$28.80
− $16.50
_____
$ _____

Restar dinero es como restar números enteros.

Resta.

9
$8.25
− $3.60
_____
$ _____

10
$45.45
− $27.75
_____
$ _____

POR TU CUENTA

Ver Cuaderno de actividades B:
Prácticas 4 a 6, págs. 7 a 12

10.3 Problemas cotidianos: El dinero

Objetivos de la lección

- Resolver problemas cotidianos de hasta dos pasos que incluyan la suma y la resta de dinero.
- Escribir problemas cotidianos para situaciones dadas.

Aprende

Resuelve problemas cotidianos usando modelos de barras.

Nancy tiene $35.50.
Compra un collar y le quedan $29.30.
¿Cuánto gastó Nancy en el collar?

$35.50 − $29.30 = $6.20

Nancy gastó $6.20 en el collar.

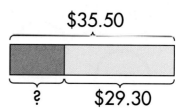

Jim tiene $12 en su billetera. Compra un envase de jugo de fruta a $2.50 y un sándwich a $7.90. ¿Cuánto dinero le quedó?

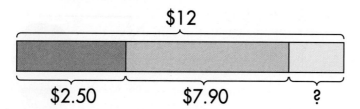

Primero, halla la cantidad de dinero que gasta Jim.

$2.50 + $7.90 = $10.40

Luego, resta esta cantidad.

$12.00 − $10.40 = $1.60

A Jim le quedaron $1.60.

Práctica con supervisión

Resuelve.

1 Peter tiene $25.50. Sue tiene $18.75.
¿Cuánto más dinero que Sue tiene Peter?

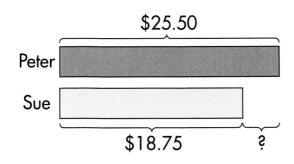

$ ⬚ – $ ⬚ = $ ⬚

Peter tiene $ ⬚ más que Sue.

2 Una sudadera para la escuela cuesta $24.85.
Una camiseta cuesta $3.40 menos que la sudadera.
¿Cuánto cuestan en total la sudadera y la camiseta?

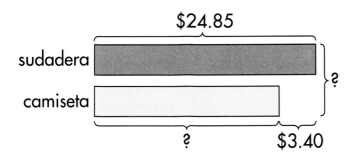

$ ⬚ $ ⬚ = $ ⬚

La camiseta cuesta $ ⬚ .

$ ⬚ $ ⬚ = $ ⬚

La sudadera y la camiseta cuestan $ ⬚ .

Primero, halla el costo de la camiseta.

Practiquemos

Resuelve. Usa modelos de barras como ayuda.

1 Katherine compró una toalla a $7.90.
Le quedan $18.75.
¿Cuánto dinero tenía al principio?

2 Un bolso cuesta $12.35.
Una camiseta cuesta $2.65 más que el bolso.
¿Cuánto cuesta la camiseta?

3 Pedro quiere comprar un reloj que cuesta $28.45.
Necesita $2.20 más para poder comprarlo.
¿Cuánto dinero tiene ahora?

4 Carrie compra un racimo de plátanos a $3.80
y algunos mangos a $5.45. Le quedan $16.50.

  a ¿Cuánto cuestan los plátanos y los mangos?

  b ¿Cuánto dinero tenía Carrie al principio?

5 Un animal de peluche cuesta $28.45.
Es $15.20 más caro que un robot a control remoto.
Un libro de tiras cómicas cuesta $7.90 menos que el robot
a control remoto.
¿Cuánto cuesta el libro de tiras cómicas?

6 Kevin compra un CD-ROM y le quedan $7.50.
Si en su lugar compra un reloj, ¿cuánto dinero le queda?

POR TU CUENTA

Ver Cuaderno de actividades B:
Prácticas 7 y 8, págs. 13 a 18

RESOLUCIÓN DE PROBLEMAS

Resuelve.

1 La abuela compra algunos tomates y zanahorias.
El costo total es $18.
Los tomates cuestan $2 más que las zanahorias.
¿Cuánto gastó la abuela en las zanahorias?

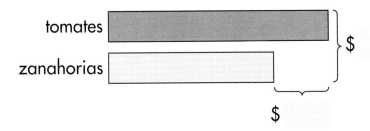

2 Winona compra algunos lápices y gomas de borrar.
Gasta en total $1.20.
Los lápices cuestan $0.40 más que las gomas de borrar.
¿Cuánto gastó Winona en las gomas de borrar?
Da el resultado en centavos.

Dibuja un modelo de barras para que te sirva de ayuda.

POR TU CUENTA

Ver Cuaderno de actividades B:
¡Ponte la gorra de pensar!
págs. 21 a 22

Resumen del capítulo

Guía de estudio
Has aprendido...

El dinero

Suma

1. $6.25 + $2 = ?
   Primero, suma los dólares: $6 + $2 = $8
   Luego, suma los centavos a los dólares:
   25¢ + $8 = $8.25

2. $5.60 + 25¢ = ?
   Primero, suma los centavos:
   60¢ + 25¢ = 85¢
   Luego, suma los dólares a los centavos:
   $5 + 85¢ = $5.85

3. $7.25 + $2.60 = ?
   Primero, suma los dólares: $7 + $2 = $9
   Luego, suma los centavos:
   25¢ + 60¢ = 85¢
   Luego, suma los centavos a los dólares:
   $9 + 85¢ = $9.85

4. $12.35 + $6.65 = ?
   Primero, suma los centavos para formar
   un dólar:
   35¢ + 65¢ = $1

   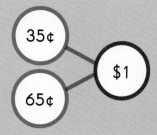

   Luego, suma los dólares:
   $1 + $12 + $6 = $19

5. Usa números conectados para sumar.
   $14.45 + $3.85 = ?

   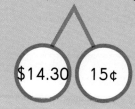

   Primero, suma 15¢ a $3.85 = $4
   Luego, suma $14.30 a $4 = $18.30

6. Usa números conectados para sumar.
   $5.60 + 80¢ = ?
   Sumar 80¢ es igual que
   sumar $1 y restar 20¢.
   $5.60 + $1 = $6.60
   Luego, resta 20¢ de $6.60:
   $6.60 − 20¢ = $6.40

7. $6.60 + $3.25 = ?

   $6 . 6 0   6 6 0¢
   + $3 . 2 5 → + 3 2 5¢
   _____   _____
                    9 8 5¢

   985¢ = $9.85

8. $16.15 + $5.95 = ?

   $1 ¹6 . ¹1 5
   + $ 5 . 9 5
   _____
   $2 2 . 1 0

▶ Puedes sumar y restar dinero de la misma manera en que sumas y restas números enteros.

Resta

1 $14.25 − $9 = ?
Resta los dólares: $14 − $9 = $5
Suma los dólares con los centavos:
$5 + 25¢ = $5.25

2. $26.85 − $0.60 = ?
Resta los centavos: 85¢ − 60¢ = 25¢
Suma los dólares con los centavos:
$26 + 25¢ = $26.25

3. $99.45 − $56.25 = ?
Resta los dólares:
$99 − $56 = $43
Resta los centavos:
45¢ − 25¢ = 20¢
Suma 20¢ a $43 = $43.20

4. Usa números conectados para restar.
$14.70 − $0.90 = ?
Restar 90¢ es igual que restar $1 y sumar 10¢.
Primero, resta $1 de $14.70 = $13.70
Luego, suma 10¢ a $13.70:
10¢ + $13.70 = $13.80

90¢
10¢
$1

5. Usa números conectados para restar.
$11.70 − $8.90 = ?
Restar $8.90 es igual que restar $9 y sumar 10¢.
Primero, resta $9 de $11.70:
$11.70 − $9 = $2.70
Luego, suma 10¢ a $2.70:
$2.70 + 10¢ = $2.80

$8.90
10¢
$9

6. $8.95 − $6.30 = ?

$8.95   8 9 5¢
−$6.30 → − 6 3 0¢
             2 6 5¢

265¢ = $2.65

7. $17.30 − $12.50 = ?
Reagrupa $17.30.
$17.30 = $16 + $1.30

$1 6̶.¹3 0
−$1 2 . 5 0
$ 4 . 8 0

Repaso/Prueba del capítulo

Conceptos y destrezas

Suma mentalmente.

1 $3.45 + $8.00 = $ [ ]

2 $6.25 + $0.35 = $ [ ]

3 $2.55 + $6.20 = $ [ ]

4 $15.60 + $3.40 = $ [ ]

5 $8.35 + $1.95 = $ [ ]

6 $12.70 + $0.90 = $ [ ]

7 $11.30 + $3.85 = $ [ ]

Resta mentalmente.

8 $16.78 − $9.00 = $ [ ]

9 $6.45 − $0.20 = $ [ ]

10 $8.65 − $7.25 = $ [ ]

11 $5.40 − $0.90 = $ [ ]

12 $5.70 − $4.80 = $ [ ]

Suma o resta.

13
$$\begin{array}{r} \$70.48 \\ + \ \$ \ 9.65 \\ \hline \$ \ \boxed{} \end{array}$$

14
$$\begin{array}{r} \$10.00 \\ - \ \$ \ 7.38 \\ \hline \$ \ \boxed{} \end{array}$$

Resolución de problemas

Resuelve.

15 Randy quiere comprar una calculadora que cuesta $36.42.
Tiene solo $27.09.
¿Cuánto dinero más necesita?

16 Melvin le da $16.20 a su maestro por un libro.
Paga $3.85 menos por otro libro.
¿Cuánto cuestan los dos libros?

17 Sally y Joshua tienen igual cantidad de dinero.
Joshua paga $9.10 por un bolso y le quedan $16.25.
Sally compra un bolígrafo y le quedan $19.60.
¿Cuánto cuesta el bolígrafo?

Medidas métricas de longitud, masa y volumen

Anotemos sus estaturas y sus masas.

Mido 1 metro y 58 centímetros. Mi masa es 48 kilogramos.

Mi estatura es 158 centímetros. Mi masa es 45 kilogramos.

¡Eso es imposible! Tenemos casi igual estatura.

¿Cómo es posible?

Benjamín 158 cm

Lecciones

IDEA IMPORTANTE

▶ Las unidades métricas de medida se pueden usar para medir la longitud, la masa y el volumen.

Recordar conocimientos previos

Usar números conectados

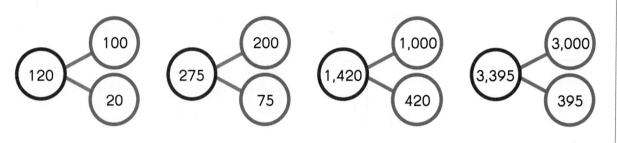

Medir la longitud en metros y centímetros

El metro es una unidad de longitud.
Es un poco más largo que 3 pies.
Se usa para medir la longitud y la altura.

Stanley saltó 1 metro.

El armario mide 2 metros de altura.

El centímetro también es una unidad de longitud.
Se usa para medir longitudes más cortas.

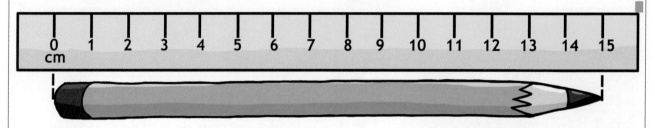

El lápiz mide 15 centímetros de longitud.

Medir la masa en kilogramos y gramos

El kilogramo se usa para medir la masa de objetos más pesados.
El gramo se usa para medir la masa de objetos más livianos.

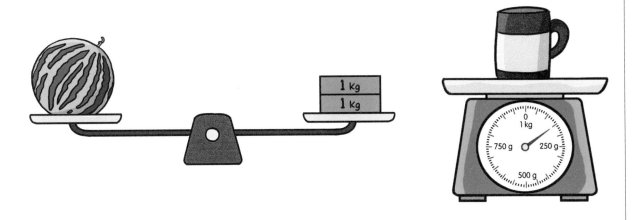

La masa de la sandía es 2 kilogramos.
La taza tiene una masa de 150 gramos.

Medir el volumen en litros

Puedes usar litros para medir el volumen.

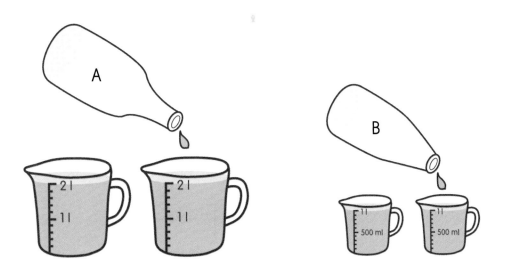

La botella A contiene 4 litros de agua.

La botella B contiene 2 litros de agua.

La botella A contiene más agua que la botella B.

1 El perro mide [   ] metro de altura.

2

La masa de la maceta es [   ] gramos.

3

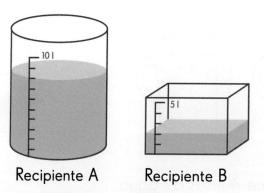

Recipiente A   Recipiente B

El recipiente A contiene [   ] litros de agua.

El recipiente B contiene [   ] litros de agua.

11.1 Metros y centímetros

Objetivos de la lección

- Usar metros y centímetros como unidades de medida de longitud.
- Estimar y medir la longitud.
- Convertir unidades de medida.

Vocabulario
metro (m)

centímetro (cm)

Aprende

Usa metros para medir la longitud.

La longitud de la cinta

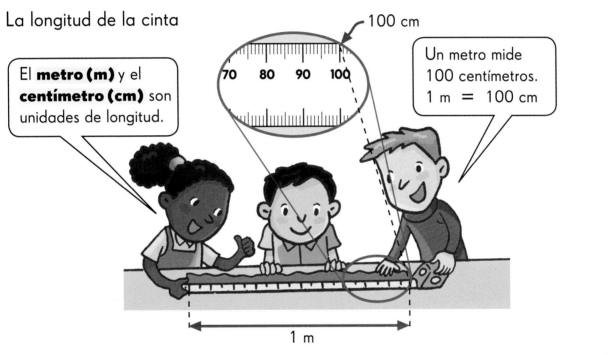

El **metro (m)** y el **centímetro (cm)** son unidades de longitud.

100 cm

70   80   90   100

Un metro mide 100 centímetros.
1 m = 100 cm

1 m

Aprende

Convierte metros y centímetros a centímetros.

La estatura de Kate es 1 metro y 38 centímetros.
¿Cuál es su estatura en centímetros?

1 m 38 cm
- 1 m = 100 cm
- 38 cm

1 m 38 cm = 100 cm + 38 cm
= 138 cm

La estatura de Kate es 138 centímetros.

Práctica con supervisión

Completa.

1 La longitud de un automóvil es 4 metros y 56 centímetros.
Halla la longitud del automóvil en centímetros.

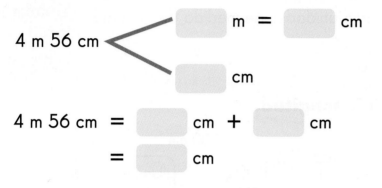

4 m 56 cm ⟨ [ ] m = [ ] cm

[ ] cm

4 m 56 cm = [ ] cm + [ ] cm

= [ ] cm

La longitud del automóvil es [ ] centímetros.

4 m = 4 × 100 cm

Aprende

Convierte centímetros a metros y centímetros.

Susanne saltó 125 centímetros desde la línea de largada.
¿Cuántos metros y centímetros saltó?

125 cm ⟨ 100 cm = 1 m

25 cm

125 cm = 100 cm + 25 cm
= 1 m 25 cm

Susanne saltó 1 metro y 25 centímetros.

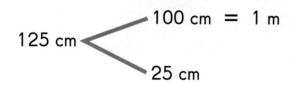

125 cm

1 m 25 cm

Práctica con supervisión

Completa.

2 La serpiente mide [ ] centímetros de longitud.

Mide [ ] metro y [ ] centímetros de longitud.

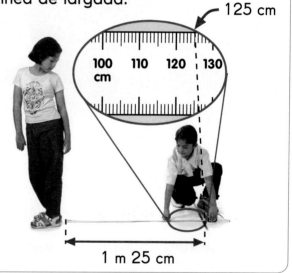

?

 **Manos a la obra**

TRABAJAR EN GRUPO

Materiales:
- cinta para medir
- pelota de papel

PASO 1 Ubícate de pie detrás de la línea de largada y arroja la pelota de papel.

PASO 2 Estima a qué distancia está la pelota de la línea de largada.

PASO 3 Mide la distancia con la cinta para medir.

PASO 4 Completa los espacios en blanco. Luego, compara tus medidas con las de tus compañeros.

Descripción	Mi estimación		Mi medición	
Distancia desde la línea de largada	m	cm	m	cm

Practiquemos

Convierte a centímetros.

1 7 m = _____ cm

2 5 m 92 cm = _____ cm

3 2 m 40 cm = _____ cm

4 3 m 8 cm = _____ cm

Convierte a metros y centímetros.

5 800 cm = _____ m _____ cm

6 156 cm = _____ m _____ cm

7 380 cm = _____ m _____ cm

8 909 cm = _____ m _____ cm

POR TU CUENTA

Ver Cuaderno de actividades B:
Práctica 1, págs. 23 a 26

11.2 Kilómetros y metros

Objetivos de la lección

- Usar el kilómetro y el metro como unidades de medida de longitud.
- Estimar y medir la longitud.
- Convertir unidades de medida.

Vocabulario
kilómetro (km)
distancia

Aprende **Usa kilómetros para medir la longitud y la distancia.**

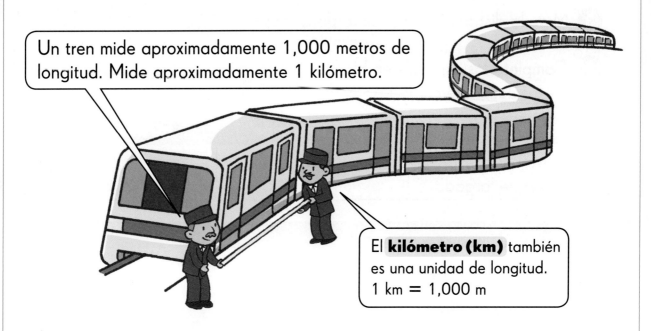

Un tren mide aproximadamente 1,000 metros de longitud. Mide aproximadamente 1 kilómetro.

El **kilómetro (km)** también es una unidad de longitud.
1 km = 1,000 m

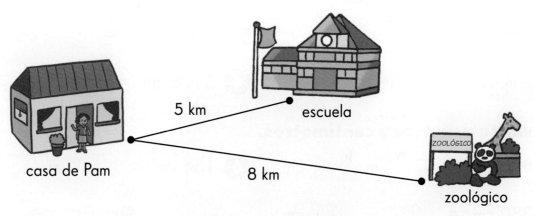

5 km escuela

casa de Pam

8 km

zoológico

La escuela está a 5 kilómetros de la casa de Pam.
El zoológico está a 8 kilómetros de la casa de Pam.

Aprende

Convierte kilómetros y metros a metros.

2 km 320 m

casa de Ricky

1 km 470 m

COMISARÍA

comisaría

BIBLIOTECA

biblioteca

La **distancia** entre la biblioteca y la casa de Ricky es 1 kilómetro y 470 metros. ¿Cuál es la distancia en metros?

1 km 470 m
$\Bigg\langle$
1 km = 1,000 m

470 m

$$1 \text{ km } 470 \text{ m } = 1,000 \text{ m } + 470 \text{ m}$$
$$= 1,470 \text{ m}$$

La distancia es 1,470 metros.

Práctica con supervisión

Completa. Usa el dibujo de arriba.

1 La comisaría está a _____ kilómetros y _____ metros de la casa de Ricky.

La distancia entre la comisaría y la casa de Ricky es _____ metros.

Completa.

2 4 km 235 m
$\Bigg\langle$
_____ km = _____ m

_____ m

4 km 235 m = _____ m

$4 \text{ km } = 4 \times 1,000 \text{ m}$

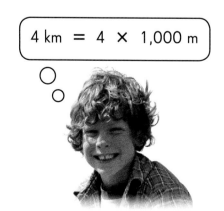

Lección 11.2 Kilómetros y metros   **39**

Convierte metros a kilómetros y metros.

Un avión vuela a 2,790 metros encima del nivel del suelo.
¿A qué altura está el avión encima del nivel del suelo?
Expresa tu respuesta en kilómetros y metros.

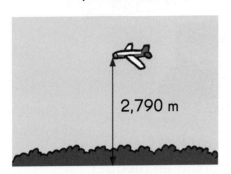

2,790 m $<$ 2,000 m = 2 km
790 m

2,790 m = 2 km + 790 m
= 2 km 790 m

El avión está a 2 kilómetros y 790 metros encima del nivel del suelo.

Práctica con supervisión

Completa.

3 La distancia entre la casa de Zack y la escuela es 5,275 metros.
Todas las mañanas, Zack va a la escuela en bicicleta.
¿Cuál distancia recorre en kilómetros y metros?

5,275 m = ___ m + ___ m

= ___ km + ___ m

= ___ km ___ m

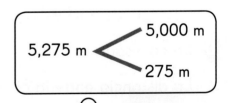

5,275 m $<$ 5,000 m
275 m

La distancia que recorre es 5 kilómetros y 275 metros.

4 3,805 m $<$ ___ m = ___ km
___ m

3,805 m = ___ km ___ m

Practiquemos

El mapa no está dibujado a escala. Halla cada distancia.

1 La distancia entre el lago Cristal y el campamento es aproximadamente

⬚ kilómetros y ⬚ metros.

2 La distancia entre el comienzo del sendero y el lago Cristal es aproximadamente

⬚ kilómetros y ⬚ metros.

3 La distancia entre el campamento y el puesto de observación es aproximadamente

⬚ kilómetros y ⬚ metros.

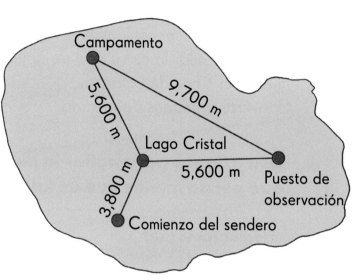

Campamento

5,600 m

9,700 m

Lago Cristal

5,600 m

3,800 m

Puesto de observación

Comienzo del sendero

Convierte kilómetros y metros a metros.

4 4 km = ⬚ m

5 6 km 128 m = ⬚ m

6 8 km 700 m = ⬚ m

7 2 km 49 m = ⬚ m

8 5 km 80 m = ⬚ m

9 3 km 7 m = ⬚ m

Convierte metros a kilómetros y metros.

10 5,000 m = ⬚ km ⬚ m

11 1,465 m = ⬚ km ⬚ m

12 5,400 m = ⬚ km ⬚ m

13 2,084 m = ⬚ km ⬚ m

14 7,090 m = ⬚ km ⬚ m

15 9,009 m = ⬚ km ⬚ m

POR TU CUENTA

Ver Cuaderno de actividades B:
Práctica 2, págs. 27 a 30

11.3 Kilogramos y gramos

Objetivos de la lección

- Leer balanzas mecánicas en kilogramos y gramos.
- Estimar y hallar la masa real de objetos usando diferentes tipos de balanzas.
- Convertir unidades de medida.

Aprende **Usa gramos para hallar la masa de objetos que pesan menos que un kilogramo.**

El **kilogramo (kg)** y el **gramo (g)** son unidades de masa.

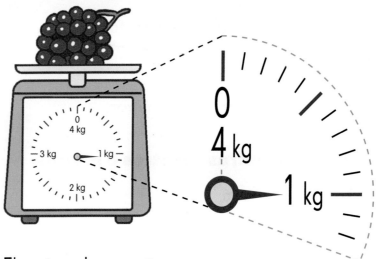

El racimo de uvas tiene una masa de 1 kilogramo.

1 kg = 1,000 g

Cada marca pequeña de esta balanza mecánica representa otros 100 gramos.

Luis usa esta balanza mecánica para hallar la masa de objetos livianos.

Usa esta balanza mecánica para medir masas de 1 kilogramo o menos. Cada marca pequeña representa otros 10 gramos.

El estuche para lápices tiene una masa de 500 gramos.

Práctica con supervisión

Completa.

1 Las zanahorias tienen una masa de 600 gramos.
¿Cuál es la masa de la calabaza?

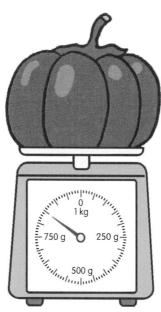

La masa de la calabaza es _____ gramos.

Usa kilogramos para hallar la masa de objetos que pesan más que un kilogramo.

Celia usa esta balanza mecánica para hallar la masa de objetos más pesados.

Usa esta balanza mecánica para medir masas de 4 kilogramos o menos. Cada marca pequeña representa otros 100 gramos.

La masa de la sandía es 2 kilogramos.

La col tiene una masa de 1 kilogramo y 500 gramos.
¿Cuál es la masa de las manzanas?

La masa de las manzanas es 2 kilogramos y 300 gramos.

Práctica con supervisión

Lee cada balanza mecánica para hallar la masa.

2

La masa de las manzanas es

_____ gramos.

3

La masa de los vegetales es

_____ gramos.

4

La masa de la piña es

_____ gramos.

5

La masa de la sandía es

_____ gramos.

Convierte kilogramos y gramos a gramos.

La masa de una bolsa con papas es 1 kilogramo y 250 gramos.
¿Cuál es la masa de la bolsa con papas en gramos?

$$1 \text{ kg} = 1,000 \text{ g}$$

1 kg 250 g

$$250 \text{ g}$$

$$1 \text{ kg } 250 \text{ g} = 1,000 \text{ g} + 250 \text{ g}$$
$$= 1,250 \text{ g}$$

La masa de la bolsa con papas es 1,250 gramos.

Práctica con supervisión

Completa.

6 8 kg 405 g

☐ kg = ☐ g

☐ g

$$8 \text{ kg } 405 \text{ g} = \boxed{} \text{ g}$$

8 kg = 8 × 1,000 g

Convierte gramos a kilogramos y gramos.

La masa de una bolsa con café en granos es 3,450 gramos.
¿Cuál es la masa en kilogramos y gramos?

$$3,000 \text{ g} = 3 \text{ kg}$$

$$3,450 \text{ g} = 3,000 \text{ g} + 450 \text{ g} \qquad 3,450 \text{ g}$$
$$= 3 \text{ kg } 450 \text{ g}$$

$$450 \text{ g}$$

La masa de la bolsa con café en granos es 3 kilogramos y 450 gramos.

Práctica con supervisión

Completa.

7 5,805 g

```
        g  =         kg
5,805 g
        g
```

5,805 g = ___ kg ___ g

Practiquemos

Completa.

1

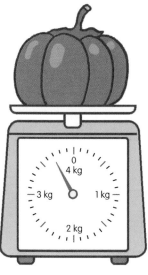

___ kg ___ g

2 5 kg = ___ g

3 4 kg 830 g = ___ g

4 5 kg 208 g = ___ g

5 3 kg 40 g = ___ g

6 9 kg 6 g = ___ g

7 7,000 g = ___ kg ___ g

8 2,479 g = ___ kg ___ g

9 2,900 g = ___ kg ___ g

10 3,085 g = ___ kg ___ g

11 8,025 g = ___ kg ___ g

12 6,008 g = ___ kg ___ g

POR TU CUENTA

Ver **Cuaderno de actividades B:**
Práctica 3, págs. 31 a 34

11.4 Litros y mililitros

Objetivos de la lección

- Estimar y hallar el volumen de líquidos en litros y mililitros.
- Hallar el volumen y la capacidad de un recipiente.
- Convertir unidades de medida.

Vocabulario
litro (l)
mililitro (ml)
volumen
capacidad

Aprende

Usa litros y mililitros para medir la capacidad.

Los **litros (l)** y los **mililitros (ml)** son unidades de capacidad.

$1\ l = 1{,}000\ ml$

La taza graduada indica las medidas en litros (l) y mililitros (ml).

La jarra puede contener hasta 1 litro de agua.

La capacidad de la jarra es 1 litro.

¿Cuánto es 1 litro de agua?

Los cilindros muestran la diferencia entre una capacidad de 1 litro y una capacidad de 10 mililitros.

La **capacidad** es la cantidad de líquido que puede contener un recipiente.

El significado de volumen y capacidad

¿En qué se diferencian el volumen y la capacidad?

El recipiente A está parcialmente lleno de agua.

El **volumen** es la cantidad de líquido que hay en un recipiente.

Agrega más agua.

El recipiente A está completamente lleno de agua.

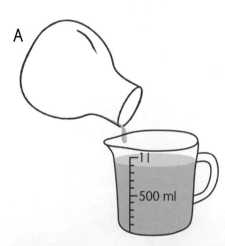

Vierte toda el agua en una taza graduada. La capacidad del recipiente A es 900 ml.

¿En qué se parecen el volumen y la capacidad?
Ambos se miden en litros y mililitros.

Usa tazas graduadas para medir el volumen de agua.

Cada marca de esta taza graduada representa otros 100 mililitros.

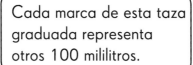

Esta taza contiene 700 mililitros de agua.

Cada marca de esta taza graduada representa otros 50 mililitros.

Esta taza contiene 400 mililitros de agua.

Cada marca de esta taza graduada representa otros 10 mililitros.

Esta taza contiene 100 mililitros de agua.

Práctica con supervisión

Halla el volumen.

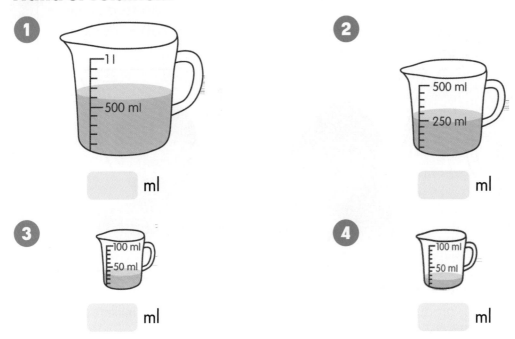

1 1 l / 500 ml

[ ] ml

2 500 ml / 250 ml

[ ] ml

3 100 ml / 50 ml

[ ] ml

4 100 ml / 50 ml

[ ] ml

Aprende

Usa litros y mililitros para medir la capacidad.

Una jarra está completamente llena de agua.
Toda el agua se vierte en tazas graduadas.

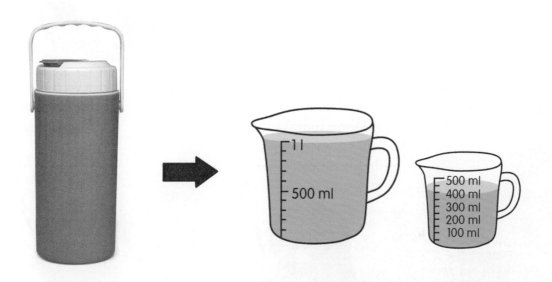

La jarra tiene una capacidad de 1 litro y 400 mililitros.

Práctica con supervisión

Halla la capacidad.

5

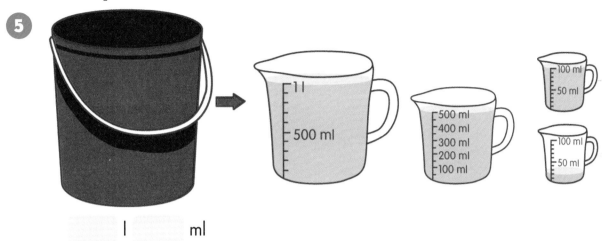

____ l ____ ml

 Manos a la obra

TRABAJAR EN GRUPO

Materiales:
- 4 recipientes de diferentes tamaños
- taza graduada en unidades métricas

Usa cuatro recipientes de diferentes tamaños.
Trabaja en grupos de cuatro.

PASO 1 Estima la capacidad de cada recipiente en litros y mililitros.

PASO 2 Llena completamente de agua cada recipiente.
Luego, vierte el agua en una taza graduada para hallar su capacidad.

PASO 3 Completa una copia de esta tabla.
Compara tus conclusiones con tus compañeros.

Recipiente	A	B	C	D
Mi estimación				
Capacidad real				

Aprende **Convierte litros y mililitros a mililitros.**

El volumen del jugo de naranja en un recipiente es 2 litros y 370 mililitros.
¿Cuál es el volumen en mililitros?

$$2 \, l \ = \ 2,000 \ ml$$

2 l 370 ml

$$370 \ ml$$

2 l 370 ml   =   2,000 ml + 370 ml
            =   2,370 ml

El volumen del jugo de naranja en el recipiente es 2,370 mililitros.

Práctica con supervisión

Completa.

6 7 l 745 ml

[ ] l = [ ] ml

[ ] ml

7 l 745 ml = [ ] ml

> 7 l = 7 × 1,000 ml

 Aprende **Convierte mililitros a litros y mililitros.**

La capacidad de un barril es 8,725 mililitros.
¿Cuál es la capacidad del barril en litros y mililitros?

$$8,000 \ ml = 8 \, l$$

8,725 ml

$$725 \ ml$$

8,725 ml   =   8,000 ml + 725 ml
          =   8 l 725 ml

La capacidad del barril es 8 litros y 725 mililitros.

Completa.

7️⃣ 4,695 ml ⟨ ___ ml = ___ l

___ ml

4,695 ml = ___ l ___ ml

Practiquemos

Halla la capacidad de la pecera.

1️⃣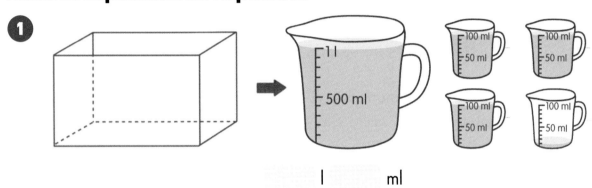

___ l ___ ml

Completa.

2️⃣ 6 l 328 ml = ___ ml

3️⃣ 4 l 400 ml = ___ ml

4️⃣ 9 l 705 ml = ___ ml

5️⃣ 5 l 45 ml = ___ ml

6️⃣ 3 l 90 ml = ___ ml

7️⃣ 6 l 7 ml = ___ ml

8️⃣ 2,000 ml = ___ l ___ ml

9️⃣ 5,430 ml = ___ l ___ ml

🔟 9,809 ml = ___ l ___ ml

1️⃣1️⃣ 9,045 ml = ___ l ___ ml

1️⃣2️⃣ 3,070 ml = ___ l ___ ml

1️⃣3️⃣ 9,008 ml = ___ l ___ ml

POR TU CUENTA

Ver Cuaderno de actividades B:
Práctica 4, págs. 35 a 38

¡Ponte la gorra de pensar!

RESOLUCIÓN DE PROBLEMAS

1 ¿Cuánto aceite hay en el vaso de precipitados?
Expresa tu respuesta en ml.

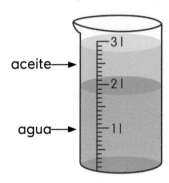

2 El señor Smith tiene tres monedas. Una de las tres monedas es falsa. La moneda falsa es más liviana que una moneda verdadera. Con la ayuda de una balanza de platillos, ¿cómo puedes distinguir la moneda falsa?

Explica lo que pasa si:

a eliges primero las dos monedas verdaderas.

b eliges primero una moneda verdadera y una moneda falsa.

3 Muestra cómo pueden usarse estos dos recipientes para medir exactamente 200 mililitros de agua.

POR TU CUENTA

Ver Cuaderno de actividades B:
¡Ponte la gorra de pensar!
págs. 39 a 40

Resumen del capítulo

Guía de estudio
Has aprendido...

IDEA IMPORTANTE

▶ Las unidades métricas de medida se pueden usar para medir la longitud, la masa y el volumen.

Medidas de

Longitud

Usa una regla o una cinta para medir para hallar la longitud.

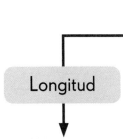

Conversión

Convierte medidas de longitud:

100 cm = 1 m
835 cm = 8 m 35 cm

1,000 m = 1 km
5,890 m = 5 km 890 m

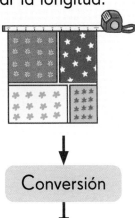

Masa

Usa una balanza mecánica para hallar la masa.

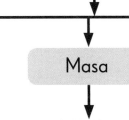

Conversión

Convierte medidas de masa:

1,000 g = 1 kg
1,750 g = 1 kg 750 g

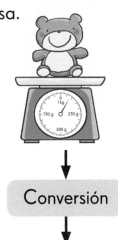

Volumen

El volumen es la cantidad de líquido que hay en un recipiente.

La capacidad es la cantidad de líquido que puede contener un recipiente.

Usa tazas graduadas para hallar el volumen.

Conversión

Convierte medidas de volumen:

1,000 ml = 1 l
1,270 ml = 1 l 270 ml

Repaso/Prueba del capítulo

Vocabulario
Elige la palabra correcta.

1 Ariel tiene dos pedazos de tela.

La _____ total de los dos pedazos es

5 metros y 92 centímetros.

| kilómetros |
| mililitros |
| longitud |
| masa |
| litros |

2 Mabel viajará pronto. Está pesando su equipaje.

La _____ total de su equipaje es 55 kilogramos.

3 Nathan quiere saber cuánta agua puede contener su pecera nueva.

Halla que su capacidad es 30 _____ y 500 _____ .

4 Caleb tiene que viajar varios _____ en tren para visitar a sus abuelos.

Conceptos y destrezas
Completa.

5 7 m 69 cm = _____ cm

6 641 cm = _____ m _____ cm

7 8,905 m = _____ km _____ m

8 3 km 509 m = _____ m

9 4 kg = _____ g

10 8,555 g = _____ kg _____ g

11 3 l = _____ ml

12 6,924 ml = _____ l _____ ml

12 Problemas cotidianos: Medidas

¡Bienvenidos al zoológico! Espero que aprendan mucho hoy.

¡Vaya! ¡Mira los elefantes! ¡Son enormes!

¿Sabían que los elefantes adultos beben aproximadamente 110 litros de agua por día?

Niños, los hipopótamos son los animales terrestres más grandes después de los elefantes.

Su mamá tiene razón. La masa de los elefantes adultos machos puede alcanzar hasta 6,800 kilogramos. La masa de los hipopótamos adultos machos solo puede alcanzar hasta 4,500 kilogramos.

¿Cuánta agua bebe un elefante adulto en una semana?

¿Cuánto mayor es la masa de un elefante adulto macho que la de un hipopótamo?

Lecciones

IDEA IMPORTANTE

▶ Se pueden usar modelos de barras para resolver problemas de medición de uno y dos pasos.

Recordar conocimientos previos

Sumar, restar, multiplicar y dividir

$$
\begin{array}{r}
\overset{1}{3}\,\overset{1}{2}\,7\,8 \\
+\,2\,8\,3\,1 \\
\hline
6\,1\,0\,9
\end{array}
$$

$$
\begin{array}{r}
\overset{7}{8}\,\overset{12}{3}\,\overset{14}{5}\,\overset{1}{0} \\
-\quad 9\,5\,6 \\
\hline
7\,3\,9\,4
\end{array}
$$

$$
\begin{array}{r}
\overset{2}{1}\,\overset{1}{8}\,5 \\
\times \qquad 3 \\
\hline
5\,5\,5
\end{array}
$$

$$
\begin{array}{r}
15 \\
4\,)\overline{6\,0} \\
4\,0 \\
\hline
2\,0 \\
2\,0 \\
\hline
0\,0
\end{array}
$$

Usar modelos de barras

- para hacer una comparación

  En el cajón A hay 100 manzanas.
  En el cajón B hay 90 manzanas.
  ¿Cuántas manzanas más hay
  en el cajón A?

  $100 - 90 = 10$

  En el cajón A hay 10 manzanas más.

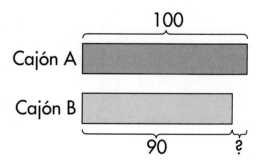

- para hacer una multiplicación

  Adam tiene 2 lápices. Brad tiene 3
  veces más lápices que Adam.
  ¿Cuántos lápices tiene Brad?

  $3 \times 2 = 6$

  Brad tiene 6 lápices.

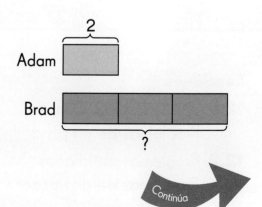

Continúa

- para hacer una división

  En una caja hay 45 fresas. Laura reparte las fresas equitativamente entre 5 amigos. ¿Cuántas fresas recibió cada uno?

  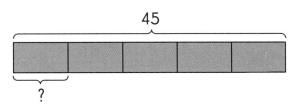

  $45 \div 5 = 9$

  Cada uno recibió 9 fresas.

  Tyrone tiene 24 barras de yogur.
  Las coloca en cajas de a 4.
  ¿Cuántas cajas necesitó Tyrone?

  $24 \div 4 = 6$

  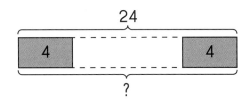

  Tyrone necesitó 6 cajas.

✔ Repaso rápido

Completa.

1 $1,234 + 3,789 =$

2 $6,325 - 5,236 =$

Elige las cajas que dan el mismo resultado.

 880 80×8 220×4 440×2

 14 $56 \div 4$ 13×5 $42 \div 3$

Decide qué situación describen los modelos de barras.

5

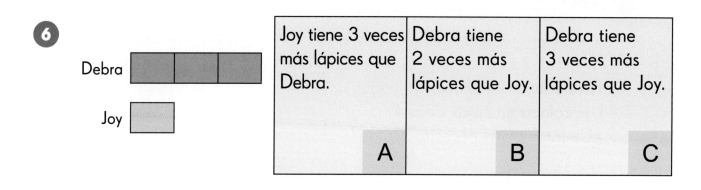

Joe

Sam

Sam tiene menos libros que Joe.	Joe tiene más libros que Sam.	Joe tiene menos libros que Sam.
A	B	C

6

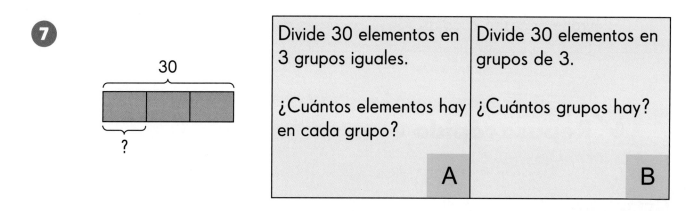

Debra

Joy

Joy tiene 3 veces más lápices que Debra.	Debra tiene 2 veces más lápices que Joy.	Debra tiene 3 veces más lápices que Joy.
A	B	C

7

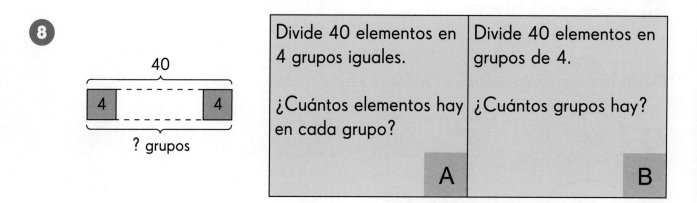

30

?

Divide 30 elementos en 3 grupos iguales. ¿Cuántos elementos hay en cada grupo?	Divide 30 elementos en grupos de 3. ¿Cuántos grupos hay?
A	B

8

40

4   4

? grupos

Divide 40 elementos en 4 grupos iguales. ¿Cuántos elementos hay en cada grupo?	Divide 40 elementos en grupos de 4. ¿Cuántos grupos hay?
A	B

12.1 Problemas cotidianos: Problemas de un paso

Objetivos de la lección

- Dibujar modelos de barras para resolver problemas de medición de un paso.
- Elegir la operación correcta para resolver problemas de un paso.

Aprende

Usa la suma para resolver problemas de medición.

Keisha ata un paquete con una cuerda de 75 centímetros de longitud.
Después ata otro paquete con una cuerda de 255 centímetros de longitud.
¿Cuál es la longitud total de las dos cuerdas que usó Keisha?
Expresa tu respuesta en metros y centímetros.

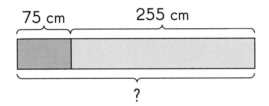

$$
\begin{array}{r}
^{1\ 1}\ 7\ 5 \\
+\ 2\ 5\ 5 \\
\hline
3\ 3\ 0
\end{array}
$$

$$75 \ + \ 255 \ = \ 330$$
$$330 \text{ cm} \ = \ 3 \text{ m } 30 \text{ cm}$$

La longitud total de las dos cuerdas es 3 metros y 30 centímetros.

| 100 cm = 1 m |
| 300 cm = 3 m |
| 330 cm = 3 m 30 cm |

Práctica con supervisión

Resuelve.

1 Abel ató una caja de regalo con una cinta de 56 centímetros de longitud. Después ató otra caja de regalo con una cinta de 184 centímetros de longitud. ¿Cuál es la longitud total de las cintas que usó Abel?
Expresa tu respuesta en metros y centímetros.

[____] ● [____] = [____]

[____] cm = [____] m [____] cm

56 cm   184 cm

?

La longitud total de las cintas que usó Abel es

[____] metros y [____] centímetros.

Aprende **Usa la suma para resolver problemas de medición.**

¿Cuál es la masa total de los dos atados de verduras?

700 + 800 = 1,500
1,500 g = 1 kg 500 g

1,000 g = 1 kg
1,500 g = 1 kg 500 g

La masa total de los dos atados de verduras es
1 kilogramo y 500 gramos.

Práctica con supervisión

Resuelve.

2 Sonia camina 650 metros hasta la casa de su amiga.
Al volver a casa, toma un camino más largo y camina 740 metros.
¿Qué distancia caminó Sonia en total?
Expresa tu respuesta en kilómetros y metros.

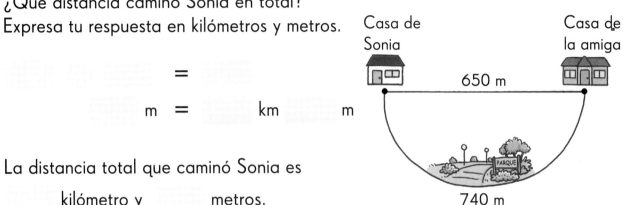

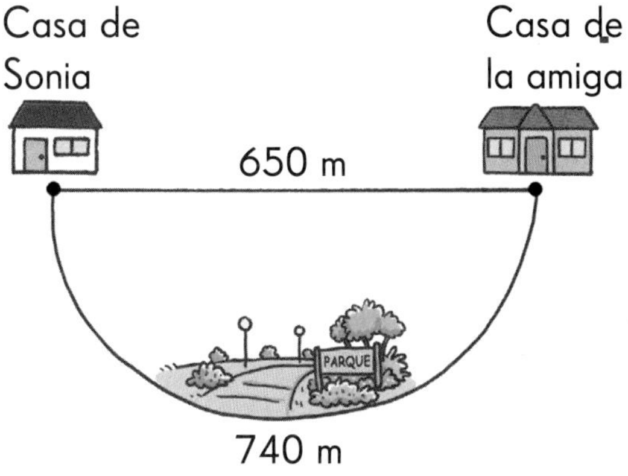
Casa de Sonia
Casa de la amiga
650 m
PARQUE
740 m

___ ___ ___ = ___

___ m = ___ km ___ m

La distancia total que caminó Sonia es
___ kilómetro y ___ metros.

Aprende

Usa la resta para resolver problemas de medición.

La distancia entre el pueblo A y el pueblo B es 420 kilómetros.
La distancia entre el pueblo B y el pueblo C es 28 kilómetros.
¿Cuál es la diferencia entre las dos distancias?

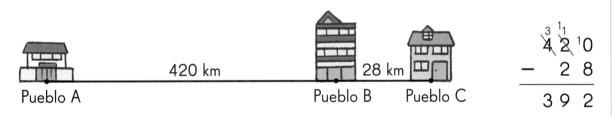

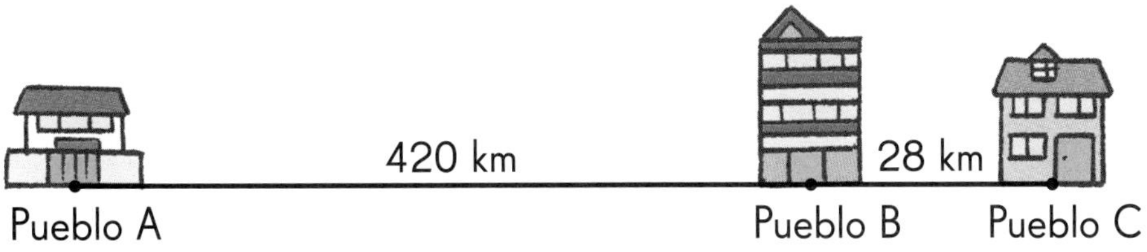
420 km
28 km
Pueblo A
Pueblo B
Pueblo C

$$\begin{array}{r} \overset{3}{\cancel{4}}\,\overset{11}{\cancel{2}}\,{}^{1}0 \\ -\quad 2\;8 \\ \hline 3\;9\;2 \end{array}$$

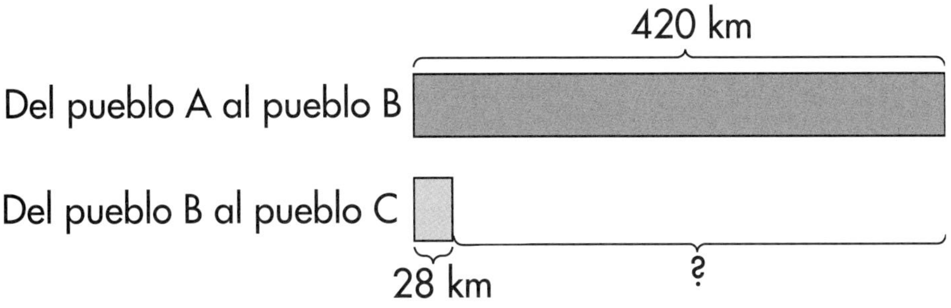
420 km
Del pueblo A al pueblo B
Del pueblo B al pueblo C
28 km
?

$420 - 28 = 392$

La diferencia entre las dos distancias es 392 kilómetros.

Práctica con supervisión

3 Una piscina inflable contiene 356 litros de agua.
La piscina se pinchó y perdió 15 litros de agua.
Halla el volumen de agua que queda.

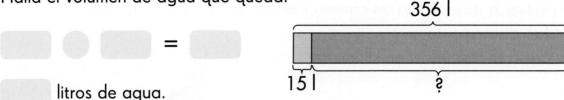

☐ ● ☐ = ☐

☐ litros de agua.

Usa modelos de barras y la multiplicación para resolver problemas de medición.

Aprende

Julio tiene 4 pedazos de alambre de 178 centímetros de longitud cada uno.
¿Cuál es la longitud total del alambre?
Expresa tu respuesta en metros y centímetros.

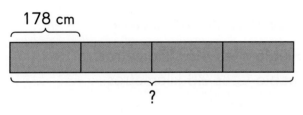

$$4 \times 178 = 712$$
$$712 \text{ cm} = 7 \text{ m } 12 \text{ cm}$$

$$\begin{array}{r} \overset{3}{1}\,\overset{3}{7}\,8 \\ \times \quad 4 \\ \hline 7\,1\,2 \end{array}$$

La longitud total de alambre es 7 metros y 12 centímetros.

Práctica con supervisión

4 Un maestro reparte habichuelas equitativamente en 5 bolsas.
La masa de cada bolsa es 125 gramos.
¿Cuál es la masa total de las 5 bolsas con habichuelas?

☐ ● ☐ = ☐

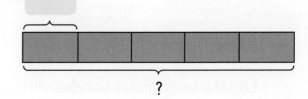

La masa total de las 5 bolsas con

habichuelas es ☐ gramos.

Usa modelos de barras y la división para resolver problemas de medición.

Un camión de gasolina transporta 96 litros de combustible.
El combustible se deposita equitativamente en 3 tanques.
¿Cuántos litros de combustible hay en cada tanque?

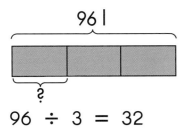

$$96 \div 3 = 32$$

$$\begin{array}{r} 3 \, 2 \\ 3{\overline{)9\,6}} \\ 9\,0 \\ \hline 6 \\ 6 \\ \hline 0 \end{array}$$

Hay 32 litros de combustible en cada tanque.

Práctica con supervisión

5 Janice corta una cinta de 90 centímetros de longitud en 5 partes iguales. ¿Cuánto mide cada parte?

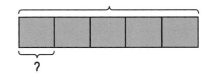

=

Cada parte de la cinta mide _____ centímetros.

6 Un tendero compra 850 kilogramos de cereales.
Vuelve a empaquetar los cereales equitativamente en bolsas de 5 kilogramos.
¿Cuántas bolsas hay?

= _____ decenas

= _____ decenas

= _____

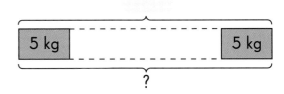

Hay _____ bolsas.

Practiquemos

Resuelve. Dibuja modelos de barras como ayuda.

1 Rosa tiene 1,000 mililitros de leche.
Llena algunas tazas con toda la leche.
La capacidad de cada taza es 250 mililitros.
¿Cuántas tazas usó Rosa?

2 Ruby compra 81 kilogramos de harina para su panadería.
Vuelve a empaquetar la harina equitativamente en 9 bolsas.
¿Cuántos kilogramos de harina hay en cada bolsa?

3 Una estatua del presidente Lincoln mide aproximadamente 6 metros de altura.
El edificio Empire State mide 65 veces más que la estatua.
¿Cuál es la altura aproximada del edificio Empire State?

6 metros

4 El señor Mills mide 197 centímetros de estatura.
Mide 23 centímetros más que su esposa.
¿Cuánto mide la señora Mills?
Expresa tu respuesta en metros y centímetros.

5 El lunes, la señora Martinelli compra 675 gramos de pasta.
El martes, compra 750 gramos de pasta.
¿Cuál es la masa total de pasta que compra
la señora Martinelli?
Expresa tu respuesta en kilogramos y gramos.

POR TU CUENTA

**Ver Cuaderno de actividades B:
Práctica 1, págs. 41 a 44**

Problemas cotidianos: Problemas de dos pasos

Objetivos de la lección

- Dibujar modelos de barras para resolver problemas de medición de dos pasos.
- Elegir las operaciones correctas para resolver problemas.
- Escribir y resolver problemas de medición de dos pasos.

Usa dos operaciones para resolver problemas de medición.

Sam corta una cuerda en 5 pedazos y le sobran 9 centímetros. Cada uno de los 5 pedazos mide 28 centímetros de longitud.

a ¿Cuál es la longitud total de los 5 pedazos de cuerda?

b ¿Cuánto medía la cuerda antes de que Sam la cortara? Expresa tu respuesta en metros y centímetros.

a

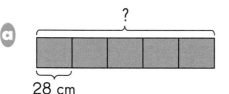

$$\begin{array}{r} \overset{4}{2}\,8 \\ \times \quad 5 \\ \hline 1\,4\,0 \end{array}$$

$$28 \times 5 = 140$$

La longitud total de los 5 pedazos de cuerda es 140 centímetros.

b

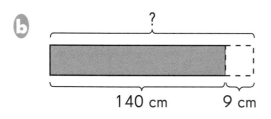

$$\begin{array}{r} 1\,4\,0 \\ + \quad 9 \\ \hline 1\,4\,9 \end{array}$$

$$140 + 9 = 149$$
$$149 \text{ cm} = 1 \text{ m } 49 \text{ cm}$$

Antes de que Sam la cortara, la cuerda medía 1 metro y 49 centímetros.

Práctica con supervisión

1 Alex y Billy compiten en una carrera de bicicletas.
Los dos deben ir desde el punto A hasta el punto B y volver.
La distancia entre el punto A y el punto B es 54 metros.
Cuando Alex completa la carrera, Billy solo ha recorrido 36 metros.
¿Cuánto le falta recorrer a Billy para completar la carrera?

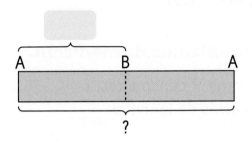

Primero, halla la distancia total por recorrer.

La distancia total por recorrer es ⬚ metros.

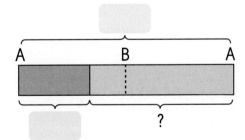

A Billy le faltan recorrer ⬚ metros más para completar la carrera.

Usa dos operaciones para resolver problemas de medición.

Dylan compra 3 bolsas con habichuelas y 1 botella de aceite de cocina.
La masa de cada bolsa con habichuelas es 500 gramos.
Las 3 bolsas con habichuelas son 475 gramos más livianas que la botella de aceite.

ⓐ ¿Cuál es la masa de las 3 bolsas con habichuelas?

ⓑ ¿Cuál es la masa de la botella de aceite de cocina?
Expresa tu respuesta en kilogramos y gramos.

ⓐ

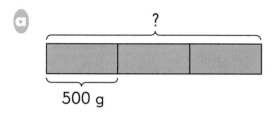

?

500 g

$$3 \times 500 = 1,500$$

| 3 × 5 centenas = 15 centenas |
| 15 centenas = 1,500 |

La masa de las 3 bolsas con habichuelas
es 1,500 gramos.

ⓑ

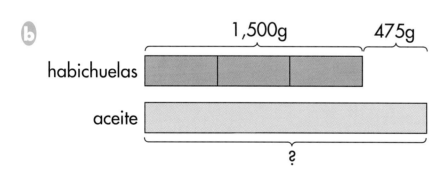

1,500g   475g

habichuelas

aceite

?

$$1,500 + 475 = 1,975$$
$$1,975 \text{ g} = 1 \text{ kg } 975 \text{ g}$$

La masa de la botella de aceite es 1 kilogramo y 975 gramos.

Práctica con supervisión

2 Liza tiene 780 gramos de arvejas.
Usa 330 gramos para hacer una sopa de arvejas.
Después reparte equitativamente en 5 bolsas las arvejas que sobran.
Halla la masa de cada bolsa de arvejas.

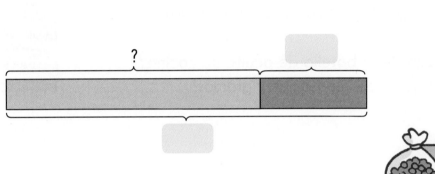

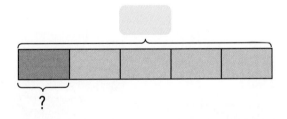

[ ] ⬤ [ ] = [ ]

La masa de las arvejas restantes es [ ] gramos.

Primero, halla la masa de las arvejas restantes.

[ ] ⬤ [ ] = [ ] decenas ⬤ [ ]

= [ ] decenas

= [ ]

La masa de cada bolsa de arvejas es [ ] gramos.

Usa dos operaciones para resolver problemas de medición.

Un dispensador de agua contiene 27 litros de agua.
Un maestro usa toda el agua para llenar varias botellas
de 3 litros para un experimento de ciencias.

a ¿Cuántas botellas llenó el maestro?

b El maestro usó 5 botellas de agua para un experimento.
¿Cuántas botellas de agua le quedaron?

a
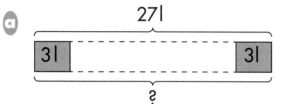

b
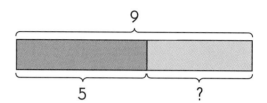

$27 \div 3 = 9$

$9 - 5 = 4$

El maestro llenó 9 botellas.

Le quedaron 4 botellas de agua.

Práctica con supervisión

Completa.

3 Ian apila 5 vasos de jugo.
Cada vaso contiene 185 mililitros de jugo.

a Halla el volumen total de jugo de los 5 vasos.

b Ian bebe un vaso de jugo.
¿Cuánto jugo le quedó?

a
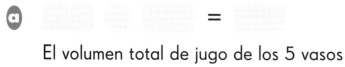 =

a?

El volumen total de jugo de los 5 vasos

es _____ mililitros.

b
 =

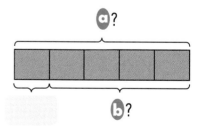

b?

Le quedaron _____ mililitros de jugo.

Practiquemos

Resuelve. Usa modelos de barras como ayuda.

1 Matt tiene 95 centímetros de cuerda.
Primero, corta 14 centímetros.
Después, corta el resto en 3 partes iguales.
¿Cuál es la longitud de cada una de las 3 partes?

2 La masa del paquete A es 245 gramos.
La masa del paquete B es dos veces mayor que la del paquete A.
El paquete C es 175 gramos más liviano que el paquete B.
Halla la masa del paquete C.

3 Un barril tiene 49 litros de agua.
Erin le agrega 14 litros más.
Después vuelca toda el agua equitativamente en 7 cubos.
¿Cuánta agua hay en cada cubo?

4 Una cinta verde mide 4 metros de longitud.
Una cinta roja mide 6 veces más que la verde.
Martín corta la cinta roja en 3 partes iguales.
¿Cuál es la longitud de cada pedazo de la cinta roja?

5 La señora Smith compra una bolsa con habichuelas y una bolsa con harina.
La bolsa con habichuelas pesa 230 gramos.
La bolsa con harina pesa 4 veces más que la de habichuelas.
Halla la masa total de harina y habichuelas.
Expresa tu respuesta en kilogramos y gramos.

6 Trent se está preparando para una carrera de resistencia.
Corre 685 metros, nada 490 metros y recorre 900 metros en bicicleta.
¿Cuál es la distancia que recorre Trent en total?
Expresa tu respuesta en kilómetros y metros.

POR TU CUENTA

**Ver Cuaderno de actividades B:
Práctica 2, págs. 45 a 50**

Diario de matemáticas

Lee los problemas cotidianos. Observa los modelos de barras. Luego, responde a las preguntas.

Sobre una mesa, hay 3 jarras de jugo de arándano.
Cada jarra contiene 800 mililitros de jugo.
Todo el jugo de las 3 jarras se sirve equitativamente en 8 vasos.
¿Cuánto jugo hay en cada vaso?

Dana dibuja estos modelos de barras para resolver el problema cotidiano.

Cantidad total de jugo   Cantidad de jugo en cada vaso

800 ml   800 ml

¿Son correctos los modelos de barras? Explica tu respuesta.
Si los modelos de barras de Dana son incorrectos, dibuja los modelos correctos.

DESTREZAS DE RAZONAMIENTO CRÍTICO

¡Ponte la gorra de pensar!

RESOLUCIÓN DE PROBLEMAS

1. Lucas tiene un cubo de 12 litros y otro de 5 litros.
   Explica de qué forma puede usar estos cubos
   para obtener estas cantidades de agua:

   a. 2 litros

   b. 3 litros

POR TU CUENTA

**Ver Cuaderno de actividades B:
¡Ponte la gorra de pensar!
págs. 51 a 52**

Resumen del capítulo

Guía de estudio

Has aprendido...

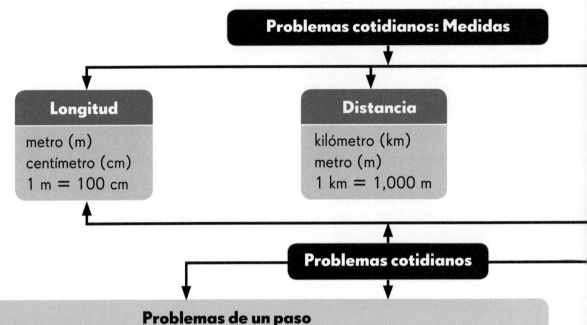

Problemas cotidianos: Medidas

Longitud
metro (m)
centímetro (cm)
1 m = 100 cm

Distancia
kilómetro (km)
metro (m)
1 km = 1,000 m

Problemas cotidianos

Problemas de un paso

Longitud

El poste A mide 134 centímetros de longitud.
El poste B mide 103 centímetros de longitud.
Ambos postes se colocan en forma
horizontal, uno a continuación del otro.
¿Cuál es la longitud total de ambos postes?

$$134 + 103 = 237$$

La longitud total de ambos postes es
237 centímetros.

Distancia

La distancia entre la casa de Sam y su
escuela es 455 metros. La distancia entre la
casa de Sam y la biblioteca es 280 metros.
¿Cuánto más cerca de la casa de Sam está
la biblioteca que la escuela?

$$455 - 280 = 175$$

La biblioteca está 175 metros más cerca.

Masa

La masa de un pedazo de queso es
2 kilogramos.
Un cocinero llamado Clark compra
16 pedazos de ese queso.
¿Cuál es la masa total de queso que
compra el cocinero Clark?

$$16 \times 2 = 32$$

El cocinero Clark compra 32 kilogramos de
queso en total.

Volumen

Chloe llena 4 tanques idénticos con 112
litros de agua.
¿Cuál es el volumen de agua en
cada tanque?

$$112 \div 4 = 28$$

El volumen de agua en cada tanque es 28 litros.

IDEA IMPORTANTE

▶ Se pueden usar modelos de barras para resolver problemas de medición de uno y dos pasos.

Masa
kilogramo (kg)
gramo (g)
1 kg = 1,000 g

Volumen
litro (l)
mililitro (ml)
1 l = 1,000 ml

Problemas de dos pasos

Sally tiene una cinta de 2 metros de longitud.
La corta en 6 pedazos iguales y le sobran 110 centímetros.
¿Cuál es la longitud de cada uno de los 6 pedazos de cinta?

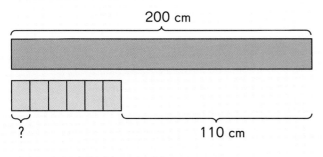

200 cm

? 110 cm

$$2\ m\ =\ 200\ cm$$
$$200\ -\ 110\ =\ 90$$
$$90\ \div\ 6\ =\ 15$$

La longitud de cada pedazo de cinta es 15 centímetros.

Joan compra 3 latas de harina de avena y 2 botellas de detergente líquido. La masa de cada lata de harina de avena es 3 kilogramos. La masa de cada botella de detergente líquido es 500 gramos. ¿Cuál es la masa total de todos los objetos?

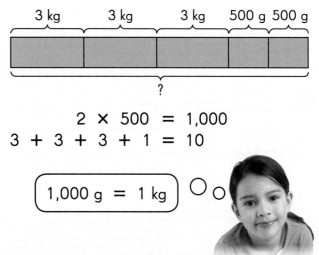

3 kg   3 kg   3 kg   500 g 500 g

?

$$2\ \times\ 500\ =\ 1,000$$
$$3\ +\ 3\ +\ 3\ +\ 1\ =\ 10$$

$$1,000\ g\ =\ 1\ kg$$

La masa total es 10 kilogramos.

Repaso/Prueba del capítulo

Resolución de problemas

Resuelve. Usa modelos de barras como ayuda.

1. La familia Benaro se va de campamento. Quieren colocar dos bolsas de dormir de manera horizontal, una a continuación de la otra. Una de las bolsas de dormir mide 153 centímetros de longitud y la otra, 167 centímetros. ¿Cuánto debe medir la tienda de campaña? Expresa tu respuesta en metros y centímetros.

2. En un viaje en automóvil, el señor Stewart conduce 850 kilómetros desde Chicago hasta la ciudad de Kansas. Después conduce 1,280 kilómetros más desde la ciudad de Kansas hasta Houston. ¿Cuál es la distancia que recorrió en total?

3. La masa de un paquete es 210 gramos. ¿Cuál es la masa de 4 paquetes iguales a ese?

4. En una olla hay 950 mililitros de sopa. El cocinero sirve toda la sopa equitativamente en 5 tazones. ¿Cuánta sopa hay en cada tazón?

5. El señor Geller vuelca 135 litros de agua equitativamente en cubos de 3 litros cada uno. ¿Cuántos cubos llenó?

6. Una taza puede contener 250 mililitros de agua. Una jarra puede contener tres veces más agua que la taza. ¿Cuál es la capacidad total de la taza y la jarra? Expresa tu respuesta en litros.

7. Un pedazo de tela mide 1,030 centímetros de longitud. La señora Grey usa un poco de esta tela para coser 4 tapetes de mesa iguales. Le sobran 190 centímetros de tela.

   a. ¿Cuál es la longitud de la tela que usó la señora Grey?

   b. ¿Cuál es la longitud de la tela que usó para cada tapete? Expresa tu respuesta en metros y centímetros.

Gráficas de barras y diagramas de puntos

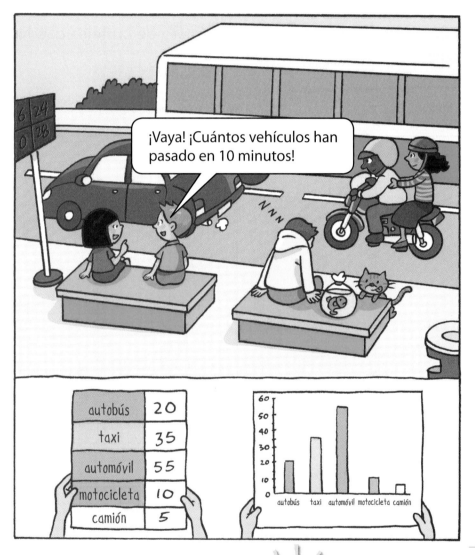

Lecciones

13.1 Hacer gráficas de barras con escalas

13.2 Leer e interpretar gráficas de barras

13.3 Diagramas de puntos

IDEA IMPORTANTE

▶ Las gráficas de barras y los diagramas de puntos sirven para organizar datos. Las gráficas de barras se usan para comparar datos. En los diagramas de puntos se muestra cómo están distribuidos los datos.

Recordar conocimientos previos

Usar una gráfica con dibujos para representar datos

Cuatro amigos hicieron algunos carteles.

En la gráfica con dibujos se muestra el número de carteles que hicieron los cuatro amigos.

Número de carteles

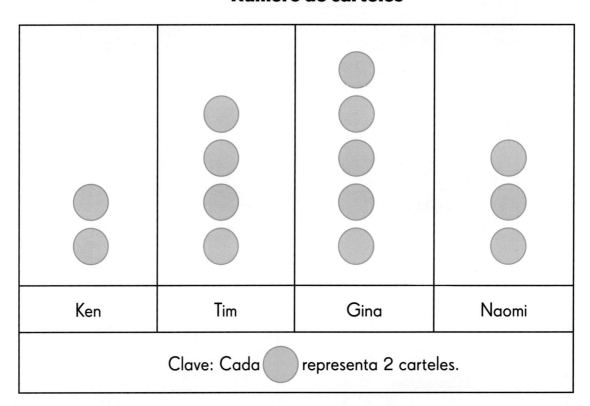

En una gráfica con dibujos se usan dibujos y símbolos para mostrar información (datos).
En la clave se indica lo que representa cada símbolo o dibujo.

Ken hizo 4 carteles.
Tim hizo 8 carteles.
Gina hizo 4 carteles más que Naomi.
Los cuatro amigos hicieron 28 carteles en total.

Usar una gráfica de barras para representar datos

En la tabla de conteo se muestran los tipos de frutas que hay en la canasta de día de campo de Sara.

Frutas en la canasta de día de campo de Sara

Tipo de fruta	Conteo	Número de frutas
ciruela	///	3
pera	////	4
naranja	//// //	7

Sara usó los datos de la tabla de conteo para dibujar una gráfica de barras.

Frutas en la canasta de día de campo de Sara

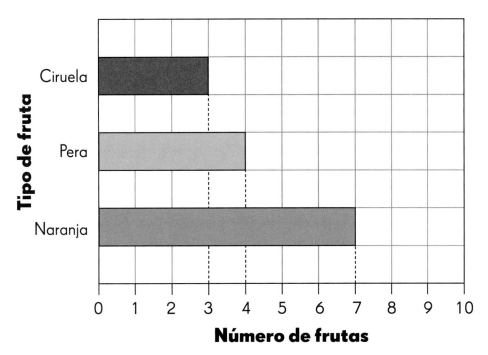

En la gráfica de barras se muestra que Sara tiene 4 peras y 3 ciruelas. En total, tiene 14 frutas en su canasta de día de campo.

✔ Repaso rápido

Miguel ayuda a su maestra a hallar los colores favoritos de sus compañeros. En la gráfica con dibujos se muestra a cuántos compañeros les gusta cada color.

Colores favoritos

Rojo	Verde	Azul	Morado

Clave: Cada 👤 representa 3 amigos.

Completa. Usa la gráfica con dibujos como ayuda.

1 El [ ] es el color más elegido.

2 A [ ] compañeros les gusta el morado.

3 El número de compañeros a los que les gusta el [ ] es igual que el número de los compañeros a los que les gusta el [ ].

4 Miguel tiene [ ] compañeros en total.

En la tabla de conteo se muestran los tipos y el número de animales que hay en un zoológico.

Completa la tabla de conteo.

5

Animales del zoológico

Tipo de animal	Conteo	Número de animales
Oso polar	//	
Elefante	////	
Pingüino	~~////~~ ///	
Delfín	~~////~~	

Completa la gráfica de barras. Usa los datos de la tabla de conteo.

6

Animales del zoológico

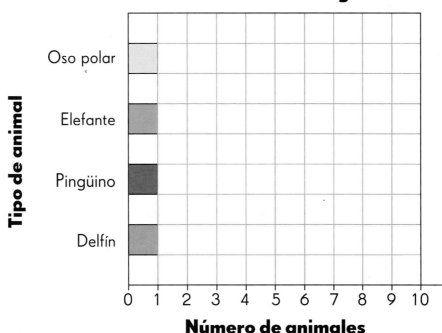

Lee e interpreta la gráfica de barras.

7 Hay _____ pingüinos más que elefantes.

8 Hay _____ osos polares menos que delfines.

9 Hay _____ elefantes y osos polares en el zoológico.

 13.1 Hacer gráficas de barras con escalas

Vocabulario
vertical
horizontal
eje
escala

Objetivo de la lección

- Usar los datos de gráficas con dibujos y de tablas de conteo para hacer gráficas de barras con escalas.

Aprende

Usa los datos de gráficas con dibujos para hacer gráficas.

Cuatro amigos salieron a caminar al aire libre.
En la gráfica con dibujos se muestra el número de mariposas que vio cada amigo durante la caminata.

Una gráfica con dibujos sirve para comparar datos.

Mariposas que vieron

Sam	🦋 🦋 🦋 🦋	4
Jamal	🦋 🦋 🦋 🦋 🦋 🦋 🦋 🦋 🦋 🦋	10
Karen	🦋 🦋 🦋 🦋 🦋 🦋 🦋 🦋	8
Roger	🦋 🦋 🦋 🦋 🦋 🦋	6
Clave: Cada 🦋 representa 1 mariposa.		

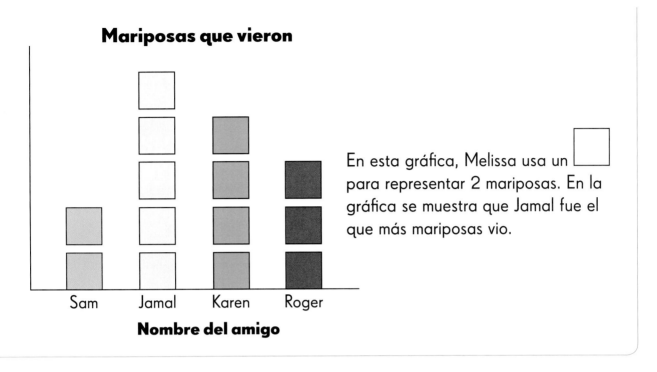

Mariposas que vieron

En esta gráfica, Melissa usa un ☐ para representar 2 mariposas. En la gráfica se muestra que Jamal fue el que más mariposas vio.

Nombre del amigo

Aprende

Usa gráficas de barras verticales y de barras horizontales para representar datos.

Melissa usa los datos de la gráfica con dibujos para hacer una gráfica de barras **verticales**. El valor de las barras se muestra con una **escala**. En esta gráfica, el **eje** vertical o línea de la cuadrícula está marcado en los puntos 0, 2, 4, 6, 8, 10 y 12. Estas marcas representan la escala.

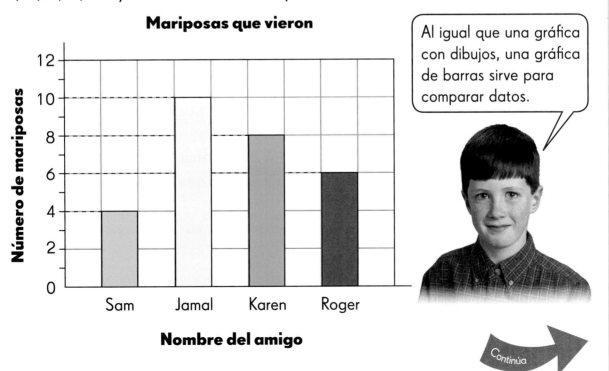

Mariposas que vieron

Al igual que una gráfica con dibujos, una gráfica de barras sirve para comparar datos.

Continúa

Luego, Linda vuelve a dibujar la gráfica vertical de Melissa en forma de gráfica **horizontal**.

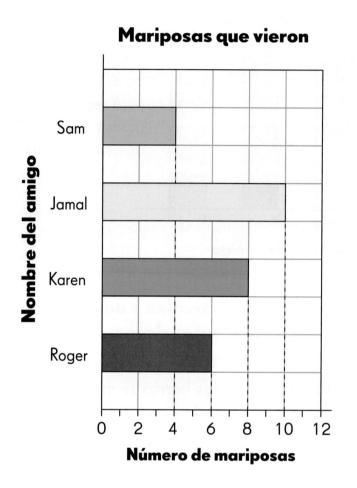

Mariposas que vieron

Una gráfica de barras usa barras verticales u horizontales para representar datos. La longitud de cada barra representa un valor. Este valor puede leerse en la escala marcada en el eje de la gráfica.

La gráfica de Linda usa una escala de 2. Comienza en 0 y salta de dos en dos. El número mayor de la escala es 12 porque debe incluir todos los datos.

Práctica con supervisión

En la gráfica de barras se representan los datos de la tabla de conteo.

Nuestros automóviles de juguete

Nombre	Conteo	Número de automóviles de juguete
Ken	✝✝✝	6
Tasha	✝✝✝ |||	8
Bryan	✝✝✝ ✝✝✝ ||	12
Pat	||	2

Halla los datos que faltan.

1

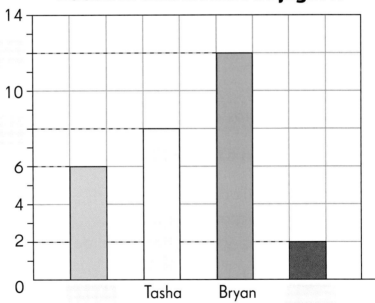

La escala de la gráfica de barras salta de _____ en 2.

Diario de matemáticas

Todos los años, la escuela primaria Reyes organiza un día de campo. Varios grupos de estudiantes participan del día de campo. En la tabla se muestra el número de medallas que ganó cada grupo.

Medallas ganadas

Grupo	Número de medallas
Las acacias	10
Los álamos	14
Los arces	18
Los cauchos	12
Los laureles	16

TRABAJAR EN GRUPO

Haz una gráfica de barras que represente los datos de la tabla.

Sigue estos pasos para hacer tu gráfica.

PASO 1 Usa papel cuadriculado.
Ponle un título a la gráfica de barras.
Rotula el eje vertical y el eje horizontal de la gráfica.

PASO 2 Elige una escala adecuada para mostrar el número de medallas ganadas.
Comienza en 0 y luego completa la escala.

PASO 3 Dibuja las barras.
Elige un color diferente para cada barra.

PASO 4 Compara la longitud de las barras con los datos para asegurarte de que las longitudes son correctas.

LECTURA Y ESCRITURA
Diario de matemáticas

Responde a cada pregunta.

1 ¿Cómo elegiste la escala para tu gráfica? Explica tu respuesta.

2 ¿Cuál es el número mayor de tu escala? Explica por qué.

3 En la tabla de la página 88 solo se muestran los grupos que ganaron 10 medallas o más. En total, se ganaron 100 medallas. ¿Cuántas medallas no se muestran en la tabla? Explica tu respuesta.

Manos a la obra

TRABAJAR EN GRUPO

Haz una encuesta en cada grupo para hallar el número total de letras que forman los nombres completos de cada compañero (incluido el apellido).

Lleva la cuenta de los resultados y registra las conclusiones en la tabla que aparece a continuación.

Letras que forman el nombre completo de cada compañero

Nombre del estudiante	Conteo	Número de letras

En un papel cuadriculado, haz una gráfica de barras que represente correctamente los datos de la tabla anterior.

Haz preguntas a tus compañeros en base a tu gráfica de barras.

Justin y sus amigos están haciendo figuras de papel.

El número de cada tipo de figura de papel que hicieron es el siguiente:

| 18 aviones de papel | 15 pelotas de papel | 21 barquitos de papel | 12 grullas de papel | 6 ranas de papel |

Usa una copia de la gráfica de barras.

Ayuda a Justin a mostrar el número de figuras de papel en la gráfica.

1

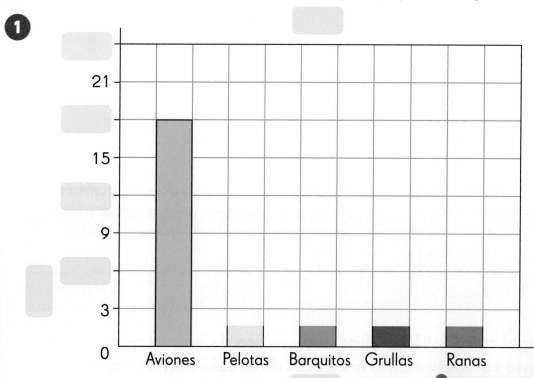

2 ¿De cuánto en cuánto salta la escala que se usa en esta gráfica?

POR TU CUENTA

Ver Cuaderno de actividades B:
Práctica 1, págs. 61 a 68

Leer e interpretar gráficas de barras

Objetivos de la lección

- Leer e interpretar datos de gráficas de barras.
- Usar gráficas de barras para resolver problemas.

Aprende

Lee e interpreta gráficas de barras para resolver problemas.

Tricia vendió entradas del lunes al viernes de la semana pasada. Luego, dibujó una gráfica de barras para mostrar el número de entradas que vendió cada día.

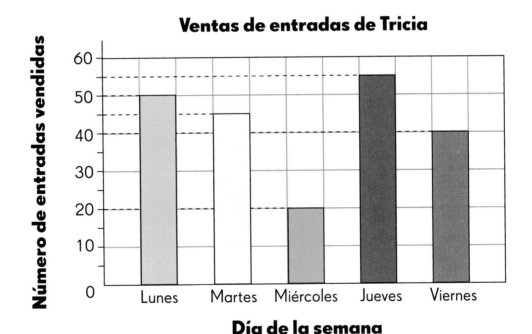

Ventas de entradas de Tricia

a ¿Cuántas entradas vendió Tricia el lunes?
Tricia vendió 50 entradas el lunes.

b ¿Qué día Tricia vendió 45 entradas?
Vendió 45 entradas el martes.

c ¿Qué día vendió menos entradas?
El miércoles vendió menos entradas.

Continúa

d ¿Cuántas entradas menos vendió el lunes con respecto al jueves?
Vendió 55 entradas el jueves.
Vendió 50 entradas el lunes.
Resta para comparar.
$55 - 50 = 5$
El lunes vendió 5 entradas menos.

e ¿Qué día vendió el doble de entradas que otro día?
El viernes vendió el doble de entradas que el miércoles.

El viernes vendió 40 entradas y el miércoles vendió 20. 40 es el doble de 20.

Práctica con supervisión

Edwin tiene una tienda de artículos para dibujo. Edwin dibuja una gráfica de barras para mostrar el número de cada producto que tiene en su tienda.

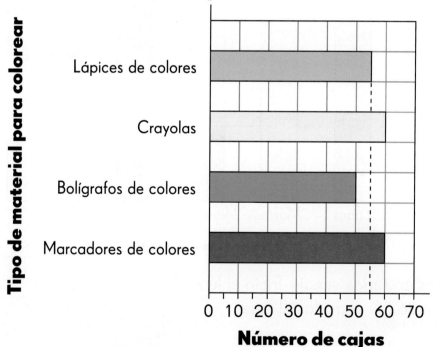

Materiales para colorear en la tienda de Edwin

Tipo de material para colorear

- Lápices de colores
- Crayolas
- Bolígrafos de colores
- Marcadores de colores

0 10 20 30 40 50 60 70

Número de cajas

Responde a cada pregunta.

1 ¿Cuántas cajas de lápices de colores hay?

2 Hay 50 cajas de un producto. ¿Cuál es el producto?

3 Hay _____ cajas más de crayolas que de lápices de colores.

4 La tienda de artículos para dibujo tiene el mismo número de cajas de _____ que de _____.

5 La tienda tiene 10 cajas menos de _____ que de marcadores de colores.

En la siguiente gráfica de barras se muestra el número de adultos y de niños que visitaron un zoológico del lunes al domingo.

Visitas al zoológico

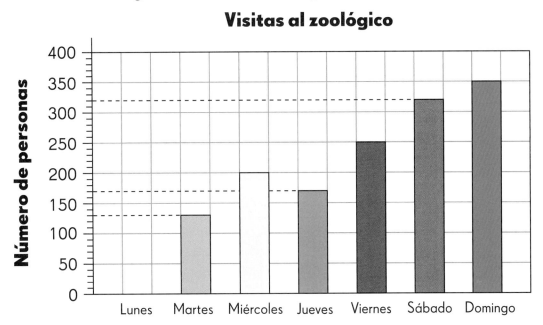

Día de la semana

Usa la gráfica de barras para responder a las preguntas.

6 ¿Cuántas personas visitaron el zoológico el miércoles? _____ personas

7 ¿Qué día visitaron el zoológico 170 personas?

8 ¿Qué día hubo más visitas? ¿Cuál puede ser el motivo?

9 ¿Qué día no hubo ninguna visita? ¿Cuál puede ser el motivo?

10 ¿Qué día hubo 150 personas más que el jueves?

11 ¿Qué día hubo 120 personas menos que el viernes?

12 El domingo, 125 adultos visitaron el zoológico.
¿Cuántos niños visitaron el zoológico ese día? _____ niños

Exploremos

TRABAJAR EN PAREJAS

En la gráfica de barras se muestra el número de libros que los niños pidieron a la biblioteca en un lapso de cinco días.

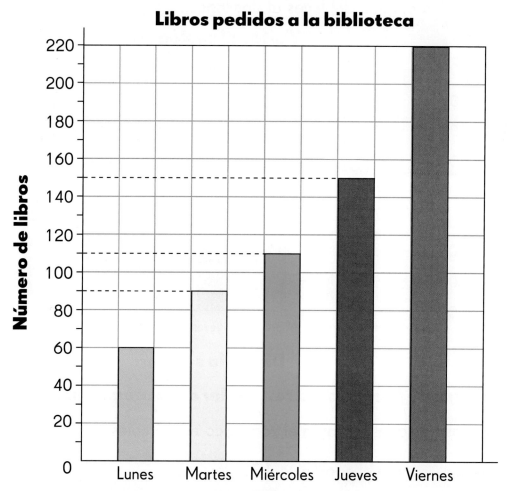

Libros pedidos a la biblioteca

Número de libros (eje vertical: 0, 20, 40, 60, 80, 100, 120, 140, 160, 180, 200, 220)

Día de la semana: Lunes, Martes, Miércoles, Jueves, Viernes

Lee la gráfica.

Escribe tres preguntas sobre la información que puedes hallar en la gráfica. Usa las palabras dadas como ayuda para comenzar.

Cuántos libros	más que	menos que	el doble que
tantos como	el menor número	el mayor número	qué día

Practiquemos

En la gráfica de barras se muestra el número de páginas que Rachel y sus amigos leen por día.

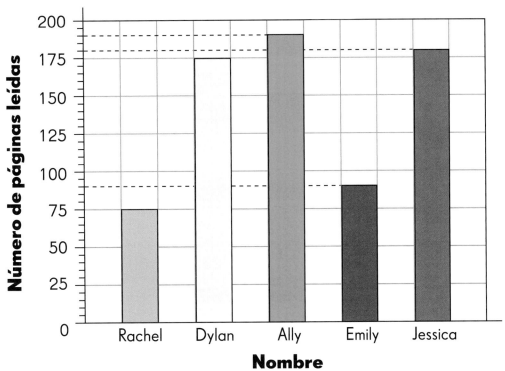

Páginas que Rachel y sus amigos leen por día

Usa la gráfica de barras para responder a las preguntas.

1. ¿Cuántas páginas leyó Ally?   páginas

2. ¿Quién leyó 90 páginas?

3. ¿Quién leyó el mayor número de páginas?

4. ¿Quién leyó el menor número de páginas? ¿Cuántas leyó?

5. ¿Cuántas páginas más que Rachel leyó Ally?   más

6. ¿Quién leyó el doble de páginas que Emily?

7. Jessica quiere leer el doble de páginas que Dylan.

   ¿Cuántas páginas más debe leer?   más

En la gráfica de barras se muestran los colores favoritos de un grupo de niños.

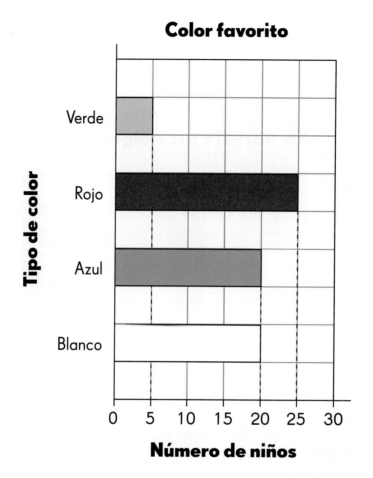

Color favorito

Tipo de color

Verde
Rojo
Azul
Blanco

0   5   10   15   20   25   30

Número de niños

Responde a cada pregunta. Usa los datos de la gráfica de barras.

8 ¿Cuántos niños más prefieren el blanco que el verde? [   ] niños

9 ¿A cuántos niños les gusta el verde o el blanco? a [   ] niños

10 8 de los niños que eligieron el rojo eran varones.

¿Cuántas niñas eligieron el rojo? [   ] niñas

11 10 niños cambiaron de opinión y eligieron el verde en lugar del azul.

¿A cuántos niños les gusta el verde ahora? a [   ] niños

POR TU CUENTA

**Ver Cuaderno de actividades B:
Práctica 2, págs. 69 a 74**

Diagramas de puntos

Objetivo de la lección

* Hacer un diagrama de puntos para representar e interpretar datos.

Aprende **Usa diagramas de puntos para mostrar la frecuencia con que algo ocurre.**

Rick encuestó a 8 de sus amigos para hallar el número de libros que leyeron en enero. En la tabla se muestran los resultados de la **encuesta**.

Número de libros leídos en enero

Nombre del amigo	Número de libros	Nombre del amigo	Número de libros
Tom	2	Alice	4
Kevin	3	Alex	1
Robin	1	Allie	2
Suki	4	Mark	2

Rick anotó los datos en una tabla de conteo.

Número de libros leídos en enero

Número de libros	Conteo	Número de amigos
1	//	2
2	///	3
3	/	1
4	//	2

Continúa

Rick traza una recta numérica para hacer un **diagrama de puntos**.
En el diagrama de puntos se muestran los resultados de su encuesta.

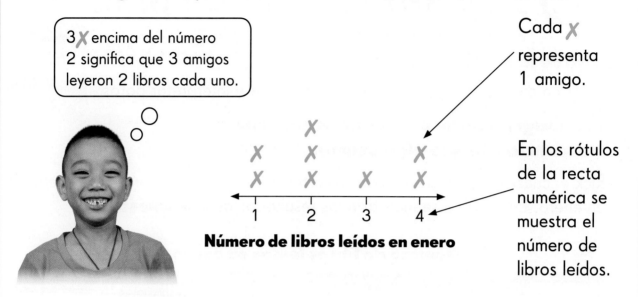

3 X encima del número
2 significa que 3 amigos
leyeron 2 libros cada uno.

Cada X representa
1 amigo.

En los rótulos
de la recta
numérica se
muestra el
número de
libros leídos.

Número de libros leídos en enero

Tres amigos leyeron 2 libros cada uno en enero.
Dos amigos leyeron el mayor número de libros.
El menor número de amigos leyó 3 libros.
Dos amigos leyeron 4 libros cada uno y dos amigos leyeron 1 libro cada uno.
Tres amigos leyeron más que 2 libros cada uno.

Práctica con supervisión

Sara encuestó a las familias de su vecindario para hallar el número de mascotas
que tienen. En la tabla se muestran los resultados de su encuesta.

Número de mascotas de cada familia

Familia	A	B	C	D	E	F	G	H	I	J
Número de mascotas	5	2	1	2	0	3	2	3	2	2

Completa la tabla de conteo. Luego, responde a la pregunta.

1   **Número de mascotas de cada familia**

Número de mascotas	Conteo	Número de familias
0	/	
1		
2		
3	//	
4		
5		

2 ¿A cuántas familias encuestó Sara?   familias

Sara hizo un diagrama de puntos de los datos.

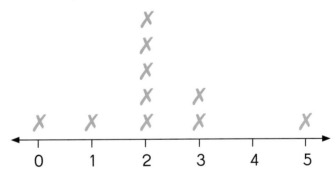

Número de mascotas de cada familia

Completa las oraciones. Usa los datos del diagrama de puntos.

3 Cada X representa 1   .

4 Los rótulos en la recta numérica representan el número de   .

5 La mayoría de las familias tenía   mascotas.

6 Ninguna familia tenía   mascotas.

7   familias tenían más que 2 mascotas.

Usa diagramas de puntos para organizar datos.

Martha hizo una encuesta. Quería descubrir qué número de horas por día destinaban sus compañeros a la tarea.
Usó una tabla para registrar sus datos.

Número de horas destinadas a la tarea

Número de horas	Número de compañeros
1	2
2	3
3	5
4	2

Un diagrama de puntos es una forma sencilla de organizar datos. Hace que sea más fácil ver cómo se agrupan, se comparan y se distribuyen los datos.

Luego, expuso los datos en un diagrama de puntos.

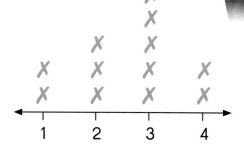

Número de horas destinadas a la tarea

Martha descubrió que cinco de sus compañeros destinaban 3 horas por día a hacer la tarea.

Cinco compañeros destinaban menos que 3 horas a la tarea.
Martha encuestó a un total de 12 compañeros.

El mayor número de horas destinadas a hacer la tarea es 4.
El mismo número de compañeros destinaba el menor y el mayor número de horas a su tarea.

Práctica con supervisión

En una feria se anotaba el número de juegos que ganaba cada jugador en un puesto.

Número de juegos ganados: 3, 5, 2, 1, 3, 1, 3, 3, 3, 2, 2, 1, 1, 1, 2, 4, 4, 3.

Completa la tabla.

Número de juegos ganados

Número de juegos ganados	Número de personas
1	
	4
3	
4	
	1

8 **Representa los datos en un diagrama de puntos. Recuerda ponerle un título a tu diagrama de puntos.**

Responde a cada pregunta. Usa los datos de tu diagrama de puntos.

9 ¿Cuántas personas ganaron exactamente 2 juegos?
_____ personas

10 ¿Cuántas personas ganaron más que 1 juego? _____ personas

11 ¿Cuántas personas fueron encuestadas en total? _____ personas

12 ¿Cuál es el número más frecuente de juegos ganados? _____ juegos

13 _____ de personas que ganaron 4 juegos ganaron 2 juegos.

14 El triple de personas que ganaron _____ juegos ganaron _____ juegos.

 **Manos a la obra**

Haz una encuesta para hallar el número de frutas que comen tus compañeros en una semana.

1 Usa la tabla de conteo para anotar los resultados.

Número de ⬜	Conteo	Número de ⬜
⬜	⬜	⬜
⬜	⬜	⬜
⬜	⬜	⬜
⬜	⬜	⬜

2 Luego, representa los datos en un diagrama de puntos. Recuerda ponerle un título.

3 Escribe tres enunciados sobre los datos del diagrama de puntos.

¿Qué representa cada **✗**? ¿Qué representan los números de la recta numérica?

¿Cuál es el mayor número de frutas que se comen en una semana? ¿Cuál es el menor número de frutas que se comen en una semana?

Resuelve.

En la tabla de conteo se muestra el número de partidos de fútbol americano que vio un grupo de personas en una temporada.

Completa la tabla de conteo.

1

Número de partidos de fútbol americano que vieron

Número de partidos de fútbol americano	Conteo	Número de personas
0	~~||||~~	5
1					
2						
3			
4				

2 **Representa los datos en un diagrama de puntos.**
Recuerda ponerle un título.

Responde a cada pregunta. Usa los datos de tu diagrama de puntos.

3 ¿Cuántas personas vieron tres o más partidos de fútbol americano?
personas

4 ¿Cuántas personas no vieron ningún partido de fútbol americano?
personas

5 **a** ¿Hubo más personas que vieron 2 partidos o 4 partidos de fútbol americano en una temporada? partidos

b ¿Cuántos más? más

6 ¿Cuál fue el número más frecuente de partidos de fútbol americano que se vieron? partidos de fútbol americano

Kim hizo una encuesta para hallar el número de pinceles que usan sus amigos en una clase de arte. En la tabla se muestran los resultados de la encuesta.

Número de pinceles usados en la clase de arte

Nombre del amigo	Número de pinceles
Renee	3
Lynn	5
Sam	2
Joy	2
Debra	2
Joe	5

7 **Representa los datos en un diagrama de puntos. Recuerda ponerle un título.**

Responde a cada pregunta. Usa tu diagrama de puntos como ayuda.

8 ¿Qué números marcará Kim en la línea horizontal del diagrama de puntos?

9 ¿Qué representan las ✗ del diagrama de puntos?

10 ¿Cuántas ✗ están marcadas en el diagrama de puntos?

11 ¿Cuántos amigos usan 5 pinceles?   amigos

12 ¿Cuántos pinceles usa la mayoría de los amigos?

            pinceles

13 **a** Observa la tabla de conteo. Halla el número total de pinceles que usan los amigos de Kim.   pinceles

   b Si cada pincel cuesta $2, ¿cuánto se gastó en total? $

POR TU CUENTA

Ver Cuaderno de actividades B: Práctica 3, págs. 75 a 82

RESOLUCIÓN DE PROBLEMAS

Analiza esta información.

Mary Lou notó que 18 compañeras están usando camisas amarillas. Había 7 compañeras más que usaban camisas rojas que las que usaban camisetas azules. Había 10 compañeras menos que usaban camisas azules que las que usaban camisas amarillas.

Lee atentamente las gráficas de barras A, B y C. ¿En cuál de las gráficas de barras se muestra **correctamente** **toda** la información dada? Explica tu respuesta.

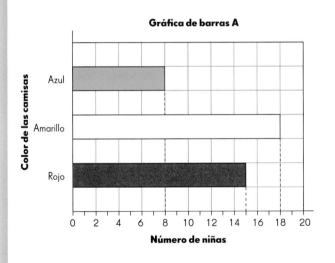

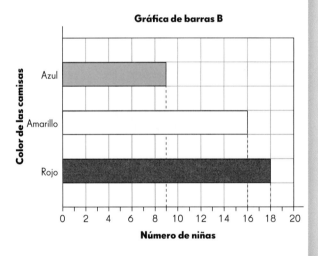

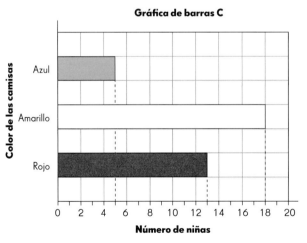

POR TU CUENTA

**Ver Cuaderno de actividades B:
¡Ponte la gorra de pensar!
págs. 87 a 90**

Resumen del capítulo

Guía de estudio
Has aprendido...

Gráficas de barras y diagramas de puntos

Tabla de conteo

Una tabla de conteo se usa para anotar y organizar datos. Una marca de conteo en la tabla representa 1 unidad de algo.

Diagramas de puntos

Un diagrama de puntos se usa para mostrar cómo están distribuidos los datos.

Nuestros automóviles de juguete

Nombre	Conteo	Número de automóviles de juguete
Ken	＃＃ /	6
Tasha	///	3
Bryan	＃＃ ////	9
Pat	///	3

Número de tarjetas de cumpleaños recibidas: 4, 5, 5, 6, 6, 6

Número de tarjetas de cumpleaños recibidas

Número de tarjetas de cumpleaños	Número de amigos
4	1
5	2
6	3

Número de tarjetas de cumpleaños recibidas

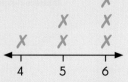

Número de tarjetas de cumpleaños

Cada X representa 1 amigo.
Los números 4 a 6 muestran el número de tarjetas de cumpleaños recibidas.

IDEA IMPORTANTE

▶ Las gráficas de barras y los diagramas de puntos sirven para organizar datos. Las gráficas de barras se usan para comparar datos. En los diagramas de puntos se muestran cómo están distribuidos los datos.

Gráfica de barras

Una gráfica de barras usa barras para representar datos. Las escalas representan el valor de las barras.

Frutas favoritas

Fruta favorita	manzana	durazno	naranja	pera
Número de niños	10	15	25	20

Fruta favorita

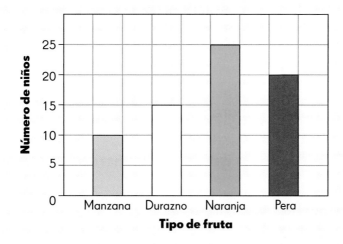

Leer e interpretar datos.

Repaso/Prueba del capítulo

Vocabulario

Completa los espacios en blanco. Usa las palabras del recuadro.

1. Las estaciones de televisión hacen ▢ cuando quieren saber qué programas miran los estudiantes.

2. A los números que están a lo largo de un eje de una gráfica de barras se los llama ▢ .

3. ▢ usa dibujos o símbolos y ▢ para mostrar qué representan estos símbolos.

4. ▢ se usa para mostrar la distribución de los datos.

5. ▢ usa barras verticales u horizontales para representar datos.

6. Una forma sencilla de registrar datos durante una encuesta es usar ▢ .

7. Una gráfica de barras se puede dibujar como una gráfica de barras ▢ o ▢ .

8. ▢ es una línea de la cuadrícula en la que se muestra la escala de la gráfica.

diagrama de puntos
encuesta
gráfica de barras
clave
escala
tabla de conteo
gráfica con dibujos
vertical
horizontal
eje

Conceptos y destrezas

En la tabla se muestra el número de broches anaranjados que hicieron unas amigas.

¿Qué número falta en la tabla? Usa la gráfica de barras de la página 109 como ayuda.

9.

Broches anaranjados

Nombre de la niña	Molly	Sally	Kelly	Nelly	Ally
Número de broches anaranjados	20	50	40		60

Usa los datos de la tabla como ayuda.
Usa una copia de la gráfica de barras y complétala.

Broches anaranjados

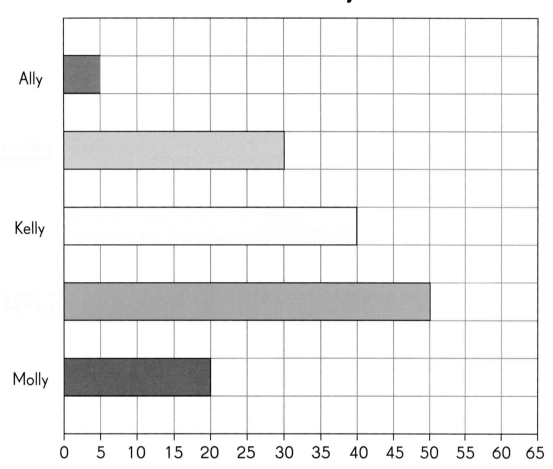

Responde a cada pregunta. Usa los datos de tu gráfica de barras.

10 ¿Quién hizo el doble de broches que Nelly?

11 ¿Quién hizo 10 broches menos que Ally?

Abigail organizó una fiesta para la clase.
Hubo una búsqueda del tesoro para hallar el número de globos escondidos
en la cafetería. Diferentes niños hallaron diferentes números de globos.
Números de globos hallados: 0, 3, 3, 1, 1, 1, 5, 4, 1, 1, 2,
5, 4, 4, 2, 5, 4, 2, 2, 5, 5.

12 **Representa los datos en un diagrama de puntos.**
Recuerda ponerle un título a tu diagrama de puntos.

Completa los espacios en blanco.
Usa los datos del diagrama de puntos como ayuda.

13 Cada X representa [   ] .

14 [   ] niños tienen el mayor número de globos.

15 El menor número de globos hallados es [   ]
.

16 [   ] niños hallaron más que 2 globos.

17 [   ] niños participaron en la búsqueda del tesoro.

En el diagrama de puntos se muestra el número de goles de campo anotados por jugadores de fútbol americano durante la última temporada.

Analiza el diagrama de puntos y completa los espacios en blanco.

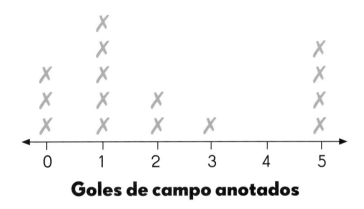

Goles de campo anotados

Completa los espacios en blanco. Usa los datos del diagrama de puntos.

18 Cada X representa 1 _____ .

19 _____ jugadores anotaron 5 goles de campo.

20 Los jugadores que anotaron 2 goles de campo fueron _____ de los que anotaron 3 goles de campo.

21 Los jugadores que no anotaron ningún gol de campo fueron _____ de los que anotaron 3 goles de campo.

Fracciones

¿Qué fracción del edredón tiene corazones?

Lecciones

IDEA IMPORTANTE

▶ Puedes usar fracciones para describir partes de una región o partes de un conjunto.

Recordar conocimientos previos

Comprender fracciones

Una fracción nombra partes iguales de un entero.

1 entero = $\frac{2}{2}$

1 entero = $\frac{3}{3}$

1 entero = $\frac{4}{4}$

Identificar fracciones unitarias y no unitarias

Una fracción unitaria nombra una de las partes iguales de un entero.

$\frac{1}{3}$ es una fracción unitaria.

$\frac{1}{3}$
$\frac{1}{3}$
$\frac{1}{3}$

Una fracción no unitaria nombra más que una de las partes iguales de un entero.

$\frac{3}{4}$ es una fracción no unitaria.

$\frac{1}{4}$	$\frac{1}{4}$	$\frac{1}{4}$	$\frac{1}{4}$

$\frac{3}{4}$

Formar un entero con fracciones unitarias

$\frac{1}{2}$ + $\frac{1}{2}$ = $\frac{2}{2}$

$= 1$

1 entero

$\frac{1}{2}$ | $\frac{1}{2}$

Comparar y ordenar fracciones unitarias

Compara.

$\frac{1}{2}$ es mayor que $\frac{1}{3}$. $\frac{1}{2} > \frac{1}{3}$

$\frac{1}{4}$ es menor que $\frac{1}{3}$. $\frac{1}{4} < \frac{1}{3}$

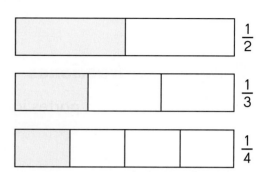

Las fracciones se pueden ordenar.

$\frac{1}{2}$, $\frac{1}{3}$, $\frac{1}{4}$

mayor

$\frac{1}{4}$, $\frac{1}{3}$, $\frac{1}{2}$

menor

Fracciones semejantes

Las fracciones semejantes son fracciones cuyos enteros se dividen en el mismo número de partes.

El entero se divide en 3 partes.

La fracción del entero que está en amarillo es $\frac{1}{3}$.

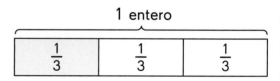

El entero se divide en 3 partes.

La fracción del entero que está en amarillo es $\frac{2}{3}$.

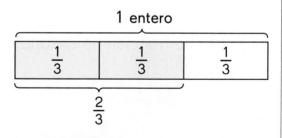

El entero se divide en 3 partes.

La fracción del entero que está en amarillo es $\frac{3}{3} = 1$.

$\frac{1}{3}$, $\frac{2}{3}$ y $\frac{3}{3}$ son fracciones semejantes.

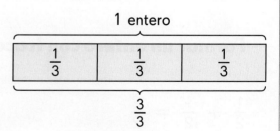

Sumar y restar fracciones semejantes

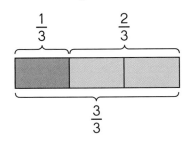

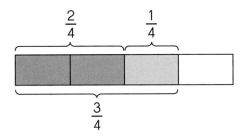

$$\frac{1}{3} + \frac{2}{3} = \frac{3}{3}$$

$$\frac{3}{4} - \frac{1}{4} = \frac{2}{4}$$

Leer una recta numérica

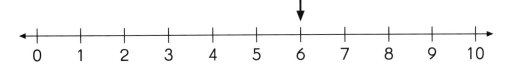

Los números en la recta numérica aumentan de 1 en 1.
La flecha señala al 6.

✔ Repaso rápido

Empareja las fracciones unitarias con el modelo y el nombre fraccionario correctos.

1 Modelos   Fracciones unitarias   Nombres fraccionarios

 •

 •

• $\frac{1}{4}$ •

• $\frac{1}{3}$ •

• un tercio

• un cuarto

Completa.

2 1 entero

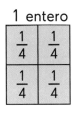

— $+$ — $+$ — $+$ — $=$ — $=$

Compara las fracciones. Elige > o <.

3 $\frac{1}{4}$ es ◯ $\frac{1}{2}$.

4 $\frac{1}{2}$ es ◯ $\frac{1}{3}$.

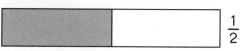

Ordena las fracciones $\frac{1}{4}$, $\frac{1}{2}$ y $\frac{1}{3}$ de mayor a menor.

5 ▢ , ▢ , ▢

mayor

Halla las fracciones semejantes.

6 $\frac{2}{3}$, $\frac{3}{4}$, $\frac{1}{2}$, $\frac{1}{3}$, $\frac{3}{3}$

7 $\frac{2}{4}$, $\frac{1}{4}$, $\frac{1}{2}$, $\frac{2}{3}$, $\frac{3}{4}$

Completa los modelos. Luego, suma.

8

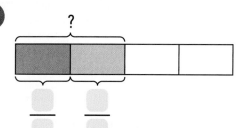

$\frac{\square}{\square} + \frac{\square}{\square} = \frac{\square}{\square}$

9

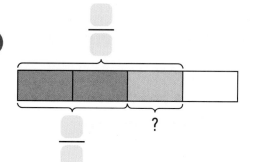

$\frac{\square}{\square} - \frac{\square}{\square} = \frac{\square}{\square}$

Usa la recta numérica para completar la oración.

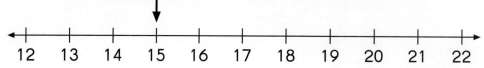

10 La flecha señala al ▢ .

14.1 Comprender fracciones

Objetivos de la lección

- Leer, escribir e identificar fracciones de enteros con más de 4 partes.
- Identificar el numerador y el denominador.

Aprende

Forma un entero con más de 4 partes iguales.

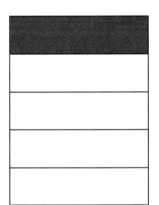

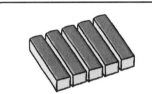

Divide un pastel rectangular en 5 partes iguales.

Este **entero** está formado por 5 **partes iguales**.

$\frac{1}{5}$ es 1 de las 5 partes iguales.

$\frac{5}{5}$ es un entero.

Lee y escribe $\frac{1}{5}$ así: un quinto. ¿Cómo lees y escribes otras fracciones unitarias?

Fracción	Se lee
$\frac{1}{6}$	un sexto
$\frac{1}{7}$	un séptimo
$\frac{1}{8}$	un octavo
$\frac{1}{9}$	un noveno
$\frac{1}{10}$	un décimo
$\frac{1}{11}$	un onceavo
$\frac{1}{12}$	un doceavo

Práctica con supervisión

Completa.

 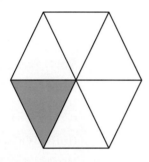

El entero se divide en [____] partes iguales.

$\dfrac{}{}$ del entero está sombreado.

[____] [____] del entero está sombreado.

Usa modelos para representar fracciones no unitarias.

El modelo muestra un entero con 5 partes iguales.

2 partes son rojas y 3 partes son amarillas.
¿Qué fracción del entero es roja?

Número de partes rojas $= 2$
Número de partes en total $= 5$

La fracción del entero que es roja es $\dfrac{2}{5}$.

La fracción del entero que es amarilla es $\dfrac{3}{5}$.

$\dfrac{2}{5}$ y $\dfrac{3}{5}$ juntos forman 1 entero.

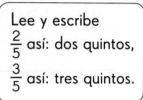

Lee y escribe
$\dfrac{2}{5}$ así: dos quintos,
$\dfrac{3}{5}$ así: tres quintos.

Práctica con supervisión

Halla la fracción del entero que está sombreada.

 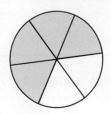

El entero está formado por [____] partes iguales.

$\dfrac{}{6}$ del círculo están sombreados.

Escribe la fracción en palabras.

3 $\frac{4}{6}$

4 $\frac{5}{12}$

5 $\frac{1}{9}$

6 $\frac{4}{10}$

Completa.

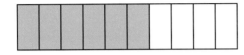

7 El rectángulo se divide en _____ partes iguales.

_____ partes están sombreadas.

8 ¿Qué fracción del rectángulo está sombreada?

9 ¿Qué fracción del rectángulo **no** está sombreada?

10 _____ y _____ juntos forman 1 entero.

Aprende

¿Qué es un numerador? ¿Qué es un denominador?

$\frac{2}{3}$ del círculo están sombreados.

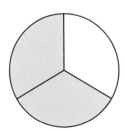

$\frac{2}{3}$ ← numerador
← denominador

En la fracción $\frac{2}{3}$, 2 es el **numerador** y 3 es el **denominador**.

El numerador, 2, representa las partes sombreadas del círculo.

El denominador, 3, representa el número total de partes iguales que hay en el círculo entero.

Práctica con supervisión

Completa.

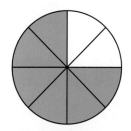

11 _____ del círculo están sombreados.

12 El numerador de la fracción es _____ .

13 El denominador de la fracción es _____ .

Practiquemos

¿Cuál fracción está sombreada? Elige las respuestas correctas.

1

| $\frac{1}{6}$ | un séptimo | un sexto | $\frac{1}{7}$ |

Completa.

Jane quiere hacer un tren numérico con 10 . Comienza conectando 7 .

2 Jane necesita conectar _____ 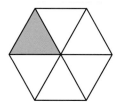 más para completar el tren.

3 ¿Qué fracción del tren numérico ya ha conectado? _____

4 ¿Qué fracción de los cubos todavía no ha conectado? _____

5 _____ y _____ juntos forman 1 entero.

POR TU CUENTA

Ver Cuaderno de actividades B:
Práctica 1, págs. 91 a 92

14.2 Comprender fracciones equivalentes

Objetivos de la lección

- Usar modelos para identificar fracciones equivalentes.
- Usar una recta numérica para identificar fracciones equivalentes.

Aprende

¿Qué son las fracciones equivalentes?

Observa las tiras fraccionarias.

1

Un entero

$\frac{1}{2}$	$\frac{1}{2}$

1 de 2 partes iguales $= \frac{1}{2}$

$\frac{1}{4}$	$\frac{1}{4}$	$\frac{1}{4}$	$\frac{1}{4}$

2 de 4 partes iguales $= \frac{2}{4}$

$\frac{1}{8}$	$\frac{1}{8}$	$\frac{1}{8}$	$\frac{1}{8}$	$\frac{1}{8}$	$\frac{1}{8}$	$\frac{1}{8}$	$\frac{1}{8}$

4 de 8 partes iguales $= \frac{4}{8}$

Las fracciones $\frac{1}{2}$, $\frac{2}{4}$ y $\frac{4}{8}$ tienen numeradores y denominadores distintos.

Pero $\frac{1}{2}$ es igual a $\frac{2}{4}$.

$\frac{1}{2}$ también es igual a $\frac{4}{8}$.

$\frac{1}{2}$, $\frac{2}{4}$ y $\frac{4}{8}$ se llaman **fracciones equivalentes**.

$\frac{1}{2}$, $\frac{2}{4}$ y $\frac{4}{8}$ nombran las mismas partes de un entero.

Las fracciones equivalentes son dos o más fracciones que nombran las mismas partes de un entero.

Manos a la obra

TRABAJAR EN PAREJAS

PASO 1 Corta tres tiras de papel.
Dobla la primera tira en tres partes iguales.
Luego, desdóblala y traza líneas sobre
los pliegues para dividir la tira en tres
partes iguales.

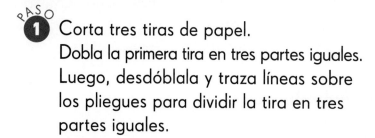

PASO 2 Sombrea una parte de la tira.

Obtendrás la fracción sombreada $\frac{1}{3}$.

PASO 3 Vuelve a doblar la tira. Luego, dóblala por la mitad.

Verás que $\frac{2}{6}$ es una fracción equivalente a $\frac{1}{3}$.

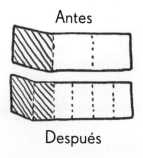

Antes

Después

PASO 4 Haz fracciones sombreadas para $\frac{1}{4}$ y $\frac{3}{4}$ con las tiras de papel que quedan.

Vuelve a doblar estas tiras para hallar fracciones equivalentes.

Práctica con supervisión

Halla las fracciones equivalentes.

$\frac{2}{3}$ de la barra están sombreados.

1  $\frac{2}{3} = \frac{}{6}$

2 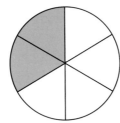 $\frac{2}{3} = \frac{}{9}$

Halla los numeradores y denominadores que faltan.

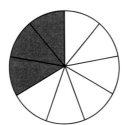

3 $\quad \frac{1}{3} \quad = \quad \frac{}{6} \quad = \quad \frac{3}{} \quad = \quad \underline{}$

✋ Manos a la obra

Usa papel cuadriculado.

> Los tres rectángulos deben tener el mismo ancho y la misma altura.

PASO 1 Dibuja un rectángulo que tenga 1 hilera y 4 columnas. Sombrea la primera columna.

PASO 2 Luego, dibuja un rectángulo idéntico que tenga 1 hilera y 8 columnas. Sombrea las 2 primeras columnas.

PASO 3 Finalmente, dibuja otro rectángulo idéntico que tenga 1 hilera y 12 columnas. Sombrea las 3 primeras columnas.

¿Qué observas acerca de las partes sombreadas?

¿Qué fracción de cada rectángulo está sombreada?

Aprende

Usa una recta numérica para hallar fracciones equivalentes.

Observa las **rectas numéricas**.

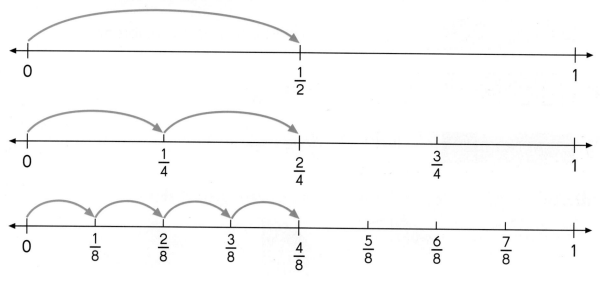

Las rectas numéricas muestran que $\frac{1}{2} = \frac{2}{4} = \frac{4}{8}$.

Práctica con supervisión

Copia las rectas numéricas en un papel cuadriculado.
Halla las fracciones que faltan en las rectas numéricas.
Usa las rectas numéricas para hallar las fracciones equivalentes.

4

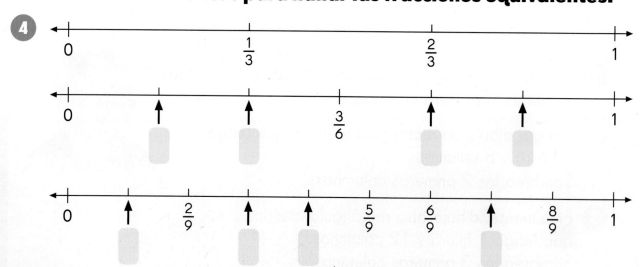

5 $\frac{1}{3} = \dfrac{}{} = \dfrac{}{}$

6 $\frac{2}{3} = \dfrac{}{} = \dfrac{}{}$

Halla fracciones equivalentes a $\frac{2}{5}$.

1 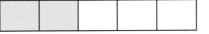 $\frac{2}{5}$

                      $\frac{2}{5} = \underline{\quad}$

                      $\frac{2}{5} = \underline{\quad}$

Usa una tira fraccionaria para hallar dos fracciones equivalentes a $\frac{1}{6}$.

2

Usa las rectas numéricas para hallar fracciones equivalentes a $\frac{1}{5}$.

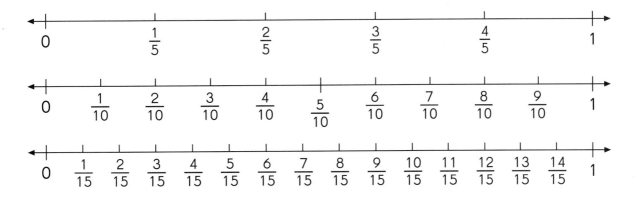

3 $\frac{1}{5} = \frac{}{10} = \frac{}{15}$

POR TU CUENTA

Ver Cuaderno de actividades B:
Práctica 2, págs. 93 a 96

14.3 Más fracciones equivalentes

Objetivos de la lección

- Usar la multiplicación y la división para hallar fracciones equivalentes.
- Escribir fracciones en su mínima expresión.

Aprende **Usa la multiplicación para hallar fracciones equivalentes.**

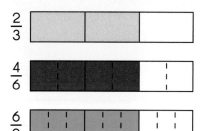

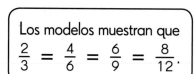

Los modelos muestran que
$\frac{2}{3} = \frac{4}{6} = \frac{6}{9} = \frac{8}{12}$.

Conozco otra forma de hallar una fracción equivalente. Multiplico el numerador y el denominador por el mismo número.

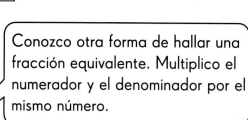

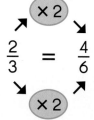

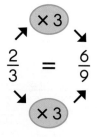

Multiplica el numerador y el denominador de $\frac{2}{3}$ por ____ para obtener como resultado $\frac{8}{12}$.

Práctica con supervisión

Usa modelos y la multiplicación para hallar fracciones equivalentes.

1 modelos

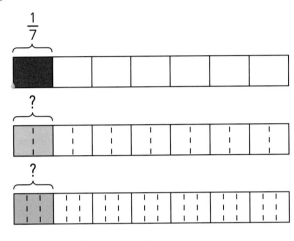

$$\frac{1}{7} = \underline{\quad} = \underline{\quad}$$

2 multiplicación

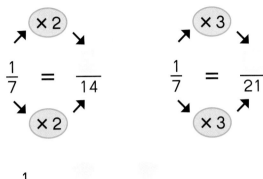

$$\frac{1}{7} = \frac{\quad}{14} \qquad \frac{1}{7} = \frac{\quad}{21}$$

$$\frac{1}{7} = \underline{\quad} = \underline{\quad}$$

Aprende Usa la división para hallar una fracción en su mínima expresión.

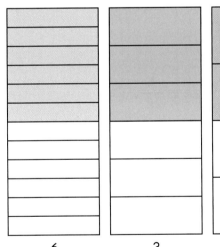

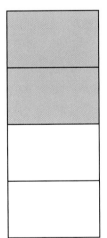

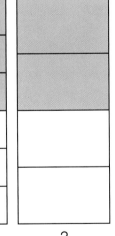

$$\frac{6}{12} \qquad \frac{3}{6} \qquad \frac{2}{4}$$

Los modelos muestran que $\frac{6}{12} = \frac{3}{6} = \frac{2}{4}$.

Esta es otra forma de hallar fracciones equivalentes. Divido el numerador y el denominador entre el mismo número.

$$\frac{6}{12} = \frac{3}{6} \qquad \frac{6}{12} = \frac{2}{4}$$

Continúa

¿$\frac{2}{4}$ es la fracción en su mínima expresión equivalente a $\frac{6}{12}$?

$$\frac{2}{4} = \frac{1}{2}$$

No, puedes volver a dividir el numerador y el denominador de $\frac{2}{4}$ entre el mismo número.

$\frac{1}{2}$ es la **mínima expresión** de $\frac{2}{4}$.

La fracción equivalente a $\frac{6}{12}$ en su mínima expresión es $\frac{1}{2}$.

Usa la división para hallar una fracción en su mínima expresión.

Práctica con supervisión

Divide para hallar las fracciones equivalentes a $\frac{4}{12}$.

3

$$\frac{4}{12} = \frac{\boxed{}}{6}$$

$$\frac{4}{12} = \frac{\boxed{}}{6}$$

$$\frac{4}{12} = \frac{1}{\boxed{}}$$

$$\frac{4}{12} = \frac{1}{\boxed{}}$$

La mínima expresión de $\frac{4}{12}$ es $\boxed{}$.

Practiquemos

Halla las fracciones equivalentes.

1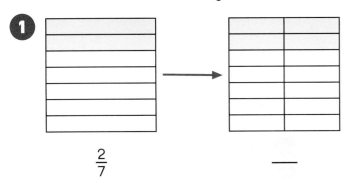

$$\frac{2}{7}$$

———

$\frac{2}{7}$ es equivalente a ——.

$$\frac{2}{7} \; \overset{\times 2}{\underset{\times 2}{=}} \; \frac{}{}$$

2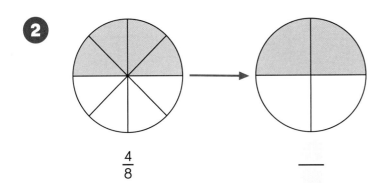

$$\frac{4}{8}$$

———

$\frac{4}{8}$ es equivalente a ⬚.

$$\frac{4}{8} \; \overset{\div 2}{\underset{\div 2}{=}} \; \frac{}{}$$

Halla las primeras ocho fracciones equivalentes a $\frac{5}{6}$.

3 $\frac{5}{6} = \underline{} = \underline{} = \underline{} = \underline{} = \underline{} = \underline{} = \underline{} = \underline{}$

POR TU CUENTA

Ver Cuaderno de actividades B:
Práctica 3, págs. 97 a 100

14.4 Comparar fracciones

Objetivos de la lección

- Comparar y ordenar fracciones.
- Representar fracciones como puntos o distancias en una recta numérica.
- Comparar y ordenar fracciones usando fracciones de referencia.

Vocabulario
punto de referencia
fracciones semejantes
fracciones no semejantes

Aprende

Compara fracciones usando dibujos y rectas numéricas.

Zoe se sirvió $\frac{1}{2}$ de un pastel de verduras.

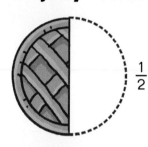 $\frac{1}{2}$

Solo puedes comparar fracciones de un mismo entero o de enteros del mismo tamaño.

Elisa se sirvió $\frac{3}{4}$ de un pastel de verduras del mismo tamaño.

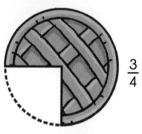 $\frac{3}{4}$

Abby se sirvió $\frac{1}{4}$ de otro pastel de verduras del mismo tamaño.

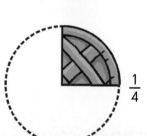 $\frac{1}{4}$

Elisa se sirvió una parte más grande que Zoe.
$\frac{3}{4}$ es mayor que $\frac{1}{2}$.

$$\frac{3}{4} > \frac{1}{2}$$
$$\frac{1}{4} < \frac{1}{2}$$

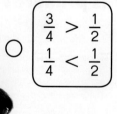

Abby se sirvió una parte más chica que Zoe.
$\frac{1}{4}$ es menor que $\frac{1}{2}$.

Las rectas numéricas muestran $\frac{1}{2}$, $\frac{1}{4}$ y $\frac{3}{4}$.

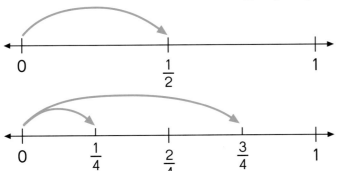

$\frac{1}{2}$ y $\frac{2}{4}$ son equivalentes.

Según las rectas numéricas, $\frac{3}{4}$ es mayor que $\frac{1}{2}$.

$\frac{1}{4}$ es menor que $\frac{1}{2}$.

Práctica con supervisión

Compara las fracciones.

1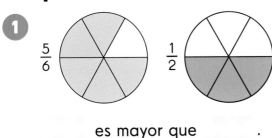

$\frac{5}{6}$ $\frac{1}{2}$

es mayor que   .

2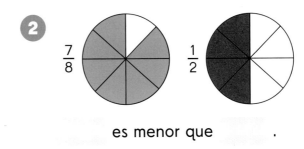

$\frac{7}{8}$ $\frac{1}{2}$

es menor que   .

Copia las rectas numéricas en un papel cuadriculado.

Marca y rotula las fracciones $\frac{1}{3}$, $\frac{2}{3}$, $\frac{1}{4}$ y $\frac{3}{4}$ en la recta numérica adecuada.

3

Usa las rectas numéricas de **3** para comparar. Elige > o <.

4 $\frac{2}{3}$ $\frac{3}{4}$

5 $\frac{1}{3}$ $\frac{1}{4}$

Manos a la obra

1 Corta dos tiras de papel del mismo tamaño.

PASO 1 Dobla la primera tira por la mitad.

PASO 2 Desdobla la tira.
Con un lápiz de color, traza una línea sobre el pliegue.

PASO 3 Vuelve a doblar la tira.
Luego, dóblala a la mitad dos veces.

PASO 4 Desdobla la tira.
Con un lápiz de otro color, traza líneas sobre los nuevos pliegues.

PASO 5 Sombrea parte de la tira para representar una fracción mayor que $\frac{1}{2}$.

La fracción sombreada es 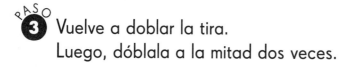.

PASO 6 Ahora, dobla la segunda tira por la mitad y repite desde el **PASO 2** al **PASO 4**.

PASO 7 Sombrea una fracción que sea menor que $\frac{1}{2}$.

La fracción sombreada es 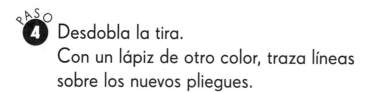.

Usa modelos para comparar fracciones semejantes.

Gina, Heather y Rita tienen un plato de papel del mismo tamaño cada una para un proyecto de artesanía.

Cada una divide su plato en ocho partes iguales.

Gina decora $\frac{3}{8}$ de su plato.

Heather decora $\frac{5}{8}$ de su plato.

Rita decora $\frac{8}{8}$ de su plato.

¿Quién decoró más?
¿Quién decoró menos?

> $5 > 3$
> Entonces, $\frac{5}{8} > \frac{3}{8}$.
> Heather decoró más que Gina.

Las **fracciones semejantes** tienen el mismo denominador. Entonces, solo comparas los numeradores.

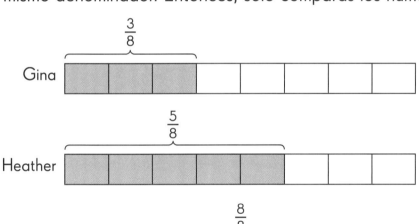

> $\frac{8}{8} > \frac{5}{8}$.
> Entonces, Rita decoró más que Heather.

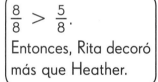

> $\frac{3}{8}$ es menor que $\frac{5}{8}$ y que $\frac{8}{8}$.
> Entonces, Gina decoró menos que Heather y Rita.

Rita es la que decoró más.
Gina es la que decoró menos.

Práctica con supervisión

Completa.

6 Dany y Keith compran una pizza del mismo tamaño cada uno.

Dany come $\frac{2}{5}$ de su pizza y Keith come $\frac{4}{5}$ de la suya.

¿Quién comió menos?

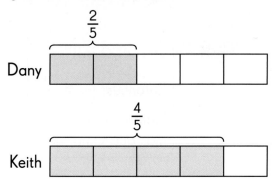

$\frac{2}{5}$ es menor que $\frac{4}{5}$.

[   ] comió menos.

7 Rachel cocina dos tartas de pollo del mismo tamaño.
Luego, corta cada tarta en 6 partes iguales.

Clara come $\frac{3}{6}$ de una tarta y Priscilla come $\frac{2}{6}$ de la otra tarta.

a ¿Quién comió más?

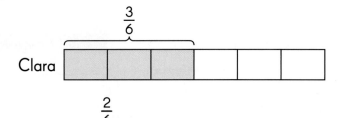

[   ] es mayor que [   ].

[   ] comió más.

Priscilla le da a Tom lo que quedó de su tarta.

b ¿Qué fracción de la tarta comió Tom?

$\frac{[\ ]}{[\ ]}$

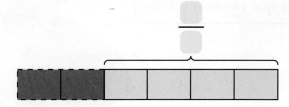

Tom comió [   ] de la tarta.

c ¿Quién comió más?   es mayor que

y que _____ .

comió más.

d ¿Quién comió menos?   _____ comió menos.

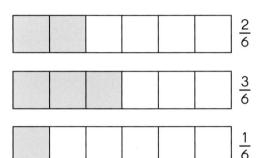

Usa modelos para ordenar fracciones semejantes.

Ordena las fracciones de mayor a menor.

$\frac{2}{6}$

$\frac{3}{6}$

$\frac{1}{6}$

El orden es:

$\frac{3}{6}$, $\frac{2}{6}$, $\frac{1}{6}$

mayor

$\frac{3}{6}$ es la mayor.

$\frac{1}{6}$ es la menor.

Práctica con supervisión

Ordena las fracciones de menor a mayor.

8

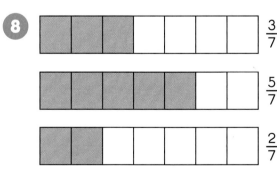

$\frac{3}{7}$

$\frac{5}{7}$

$\frac{2}{7}$

_____ es la mayor.

_____ es la menor.

_____ , _____ , _____

menor

Compara fracciones no semejantes con el mismo numerador.

¿Cuál es mayor: $\frac{3}{5}$ ó $\frac{3}{6}$?

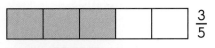 $\frac{3}{5}$

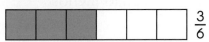 $\frac{3}{6}$

Las fracciones tienen el mismo numerador; entonces, compara los denominadores.

$\frac{3}{5}$ es mayor que $\frac{3}{6}$.

La fracción mayor es la que tiene el denominador menor.

¿Cuál fracción es menor: $\frac{2}{10}$ ó $\frac{2}{7}$?

$\frac{2}{10}$

$\frac{2}{7}$

$\frac{2}{10}$ es menor que $\frac{2}{7}$.

La fracción menor es la que tiene el denominador mayor.
Las fracciones con denominadores diferentes son **fracciones no semejantes**.

Práctica con supervisión

Completa.

9 ¿Cuál es menor: $\frac{3}{8}$ ó $\frac{3}{5}$?

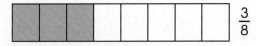 $\frac{3}{8}$

$\frac{3}{5}$

[____] es menor que [____] .

10 ¿Cuál es mayor: $\frac{1}{3}$ ó $\frac{1}{7}$?

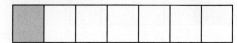

[____] es mayor que [____] .

Compara fracciones no semejantes.

La tarta A y la tarta B son tartas de verduras del mismo tamaño.

La señora Jones corta $\frac{3}{4}$ de la tarta A para Sue.

Recuerda que solo puedes comparar fracciones del mismo entero o de enteros del mismo tamaño.

Luego, corta $\frac{7}{8}$ de la tarta B para Tim.

¿A quién le tocó una porción más grande?

¿A quién le tocó una porción más pequeña?

Tarta A   Tarta B

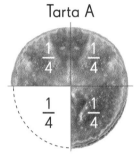   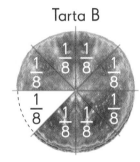

$\frac{3}{4}$ y $\frac{7}{8}$ son fracciones no semejantes con numeradores diferentes.

Puedes usar la multiplicación para reescribir fracciones no semejantes como fracciones semejantes.

Primero, halla una fracción equivalente a $\frac{3}{4}$ que

tenga el mismo denominador que $\frac{7}{8}$.

$$\frac{3}{4} = \frac{6}{8}$$

$\times 2$

$\times 2$

Ahora, las fracciones $\frac{6}{8}$ y $\frac{7}{8}$ tienen un denominador común.

Compara las fracciones.

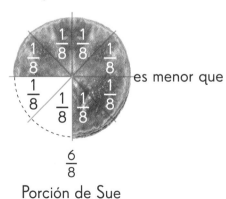   es menor que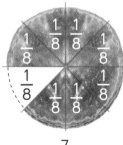

Cuando los denominadores son iguales, compara los numeradores.

$\frac{6}{8}$ $\frac{7}{8}$

Porción de Sue   Porción de Tim

Entonces, a Tim le tocó una porción más grande que a Sue.

Práctica con supervisión

Halla una fracción equivalente. Luego, compara.

11 ¿Cuál es mayor: $\dfrac{1}{2}$ ó $\dfrac{4}{10}$?

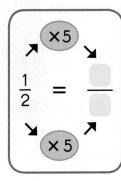

[   ] es mayor que [   ].

Aprende

Compara fracciones no semejantes.

Puedes usar la división para reescribir fracciones no semejantes como fracciones semejantes.

¿Cuál es menor: $\dfrac{3}{12}$ ó $\dfrac{2}{4}$?

$$\overset{\div 3}{\dfrac{3}{12}} = \dfrac{1}{4} \quad \underset{\div 3}{}$$

$\dfrac{1}{4}$ es menor que $\dfrac{2}{4}$.

Entonces, $\dfrac{3}{12}$ es menor que $\dfrac{2}{4}$.

Práctica con supervisión

Halla una fracción equivalente. Luego, compara.

12 ¿Cuál es mayor: $\dfrac{8}{12}$ ó $\dfrac{1}{3}$?

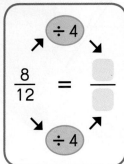

[   ] es mayor que [   ].

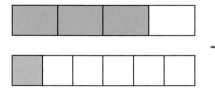

Compara más fracciones no semejantes.

¿Cuál es mayor: $\frac{3}{4}$ ó $\frac{1}{6}$?

$$\frac{3}{4} = \frac{9}{12}$$

$$\frac{1}{6} = \frac{2}{12}$$

$\frac{9}{12}$ es mayor que $\frac{2}{12}$.

Entonces, $\frac{3}{4}$ es mayor que $\frac{1}{6}$.

$$\frac{3}{4} \overset{\times 3}{=} \frac{9}{12} \qquad \frac{1}{6} \overset{\times 2}{=} \frac{2}{12}$$

Compara las fracciones $\frac{3}{4}$ y $\frac{1}{6}$ con el **punto de referencia** $\frac{1}{2}$.

Fracciones menores que $\frac{1}{2}$ Fracciones mayores que $\frac{1}{2}$

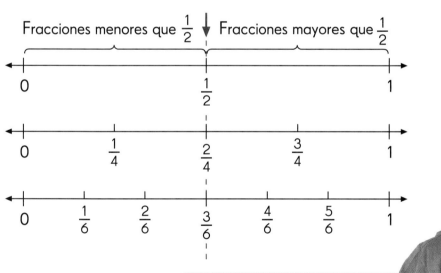

$$\frac{1}{2} = \frac{2}{4} = \frac{3}{6}$$

$$\frac{3}{4} > \frac{1}{2}$$

$$\frac{1}{6} < \frac{1}{2}$$

Entonces, $\frac{3}{4} > \frac{1}{6}$.

Cuando comparas fracciones con $\frac{1}{2}$ como en este caso, estás usando $\frac{1}{2}$ como un punto de referencia.

Es fácil comparar fracciones usando un punto de referencia.

Los puntos de referencia más comunes para comparar fracciones son 0, $\frac{1}{2}$ y 1.

Manos a la obra

 TRABAJAR EN GRUPO

¿Cuál fracción es mayor?
Usa círculos fraccionarios como ayuda.

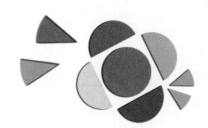

1 $\frac{4}{9}$ ó $\frac{2}{3}$ ◻

2 $\frac{2}{4}$ ó $\frac{2}{12}$ ◻

3 $\frac{3}{8}$ ó $\frac{2}{4}$ ◻

4 $\frac{2}{3}$ ó $\frac{3}{5}$ ◻

Práctica con supervisión

Compara.

13 ¿Cuál es menor: $\frac{2}{3}$ ó $\frac{7}{9}$? ◻

$$\frac{2}{3} = \frac{\square}{9}$$

14 ¿Cuál es mayor: $\frac{5}{6}$ ó $\frac{3}{4}$? ◻

$$\frac{5}{6} = \frac{\square}{12} \qquad \frac{3}{4} = \frac{\square}{12}$$

Usa las rectas numéricas para comparar fracciones con $\frac{1}{2}$.

15 ¿Cuál es mayor: $\frac{5}{6}$ ó $\frac{3}{8}$? ◻

Fracciones menores que $\frac{1}{2}$ ⬇ Fracciones mayores que $\frac{1}{2}$

0 — $\frac{1}{2}$ — 1

0 — $\frac{1}{6}$ — $\frac{2}{6}$ — $\frac{3}{6}$ — $\frac{4}{6}$ — $\frac{5}{6}$ — 1

0 — $\frac{1}{8}$ — $\frac{2}{8}$ — $\frac{3}{8}$ — $\frac{4}{8}$ — $\frac{5}{8}$ — $\frac{6}{8}$ — $\frac{7}{8}$ — 1

Compara las fracciones para hallar cuál es mayor o menor que $\frac{1}{2}$.

16 ¿Cuál es mayor: $\frac{2}{5}$ ó $\frac{5}{8}$?

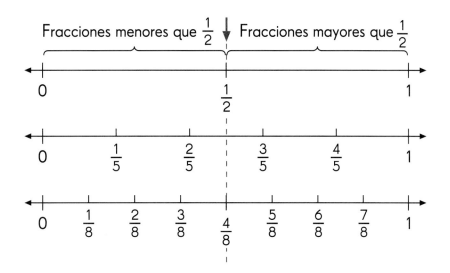

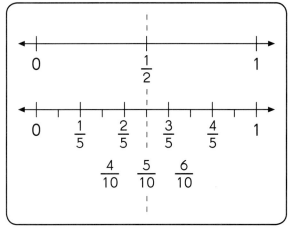

Resuelve.

17 Escribe tres fracciones, de las cuales dos deben ser menores que $\frac{3}{4}$.

18 Escribe tres fracciones, de las cuales dos deben ser mayores que $\frac{1}{2}$.

Usa puntos de referencia y rectas numéricas para que te sirvan de ayuda.

Aprende

Compara y ordena fracciones no semejantes.

Método 1. Usa una recta numérica.

Ordena $\frac{1}{2}$, $\frac{5}{6}$ y $\frac{1}{12}$ de menor a mayor.

$$\frac{1}{2} = \frac{3}{6} = \frac{6}{12}$$

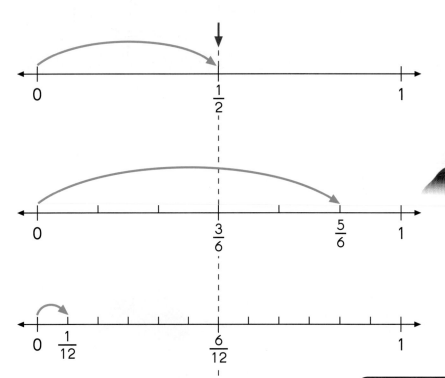

0       $\frac{1}{2}$ 1

0       $\frac{3}{6}$ $\frac{5}{6}$ 1

0   $\frac{1}{12}$ $\frac{6}{12}$ 1

Usa $\frac{1}{2}$ como punto de referencia para comparar $\frac{5}{6}$ y $\frac{1}{12}$.

$$\frac{5}{6} > \frac{1}{12}$$

$$\frac{1}{12} < \frac{1}{2}$$

Según las rectas numéricas, $\frac{5}{6}$ es la mayor y $\frac{1}{12}$ es la menor.

El orden de menor a mayor es:

$\frac{1}{12}$, $\frac{1}{2}$, $\frac{5}{6}$

menor

Método 2. **Usa modelos.**

Compara $\frac{5}{6}$ y $\frac{1}{12}$ con $\frac{1}{2}$.

$\frac{5}{6}$ ▢▢▢▢▢▢

$\frac{1}{12}$ ▢▢▢▢▢▢▢▢▢▢▢▢

$\frac{1}{2}$ ▢▢

$\frac{1}{2}$ ▢▢

$\frac{5}{6}$ es mayor que $\frac{1}{2}$.

$\frac{1}{12}$ es menor que $\frac{1}{2}$.

$\frac{1}{12}$, $\frac{1}{2}$, $\frac{5}{6}$

menor

Método 3. **Usa la multiplicación y la división.**

Expresa cada fracción con un denominador 12.

$\frac{1}{2} = \frac{6}{12}$

$\frac{5}{6} = \frac{10}{12}$

$\frac{1}{12}$ es menor que $\frac{1}{2}$.

$\frac{5}{6}$ es mayor que $\frac{1}{2}$.

$\frac{1}{12}$, $\frac{1}{2}$, $\frac{5}{6}$

menor

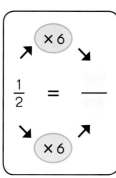

Práctica con supervisión

Ordena las fracciones de menor a mayor.

19 $\frac{7}{8}$, $\frac{1}{4}$, $\frac{1}{2}$

20 $\frac{7}{8}$, $\frac{5}{7}$, $\frac{1}{2}$

Ordena las fracciones de mayor a menor.

21 $\frac{1}{2}$, $\frac{9}{10}$, $\frac{2}{5}$

22 $\frac{2}{3}$, $\frac{1}{2}$, $\frac{5}{6}$

Practiquemos

Compara.

1 ¿Cuál es mayor: $\frac{3}{8}$ ó $\frac{1}{2}$?

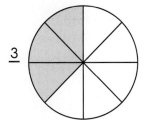

$\frac{3}{8}$ $\frac{1}{2}$

2 ¿Cuál es menor: $\frac{1}{2}$ ó $\frac{7}{10}$?

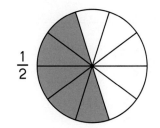

$\frac{1}{2}$ $\overline{10}$

Compara. Elige > o <.

3 ¿Cuál es mayor: $\frac{1}{2}$ ó $\frac{5}{8}$?

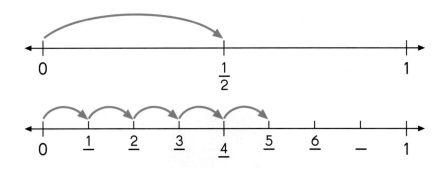

$\frac{1}{2}$ ⬤ $\frac{5}{8}$

Completa los enunciados.

4 Más que $\frac{1}{2}$ del patrón está coloreado de [   ].

5 $\frac{1}{4}$ del patrón está coloreado de [   ].

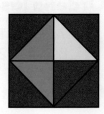

Compara.

6 ¿Cuál es menor: $\frac{3}{10}$ ó $\frac{3}{5}$?

7 ¿Cuál es mayor: $\frac{1}{3}$ ó $\frac{2}{5}$?

Ordena las fracciones de menor a mayor.

8 $\frac{5}{12}$, $\frac{5}{6}$, $\frac{1}{2}$

9 $\frac{3}{4}$, $\frac{7}{12}$, $\frac{2}{3}$

Ordena las fracciones de mayor a menor.

10 $\frac{1}{6}$, $\frac{4}{9}$, $\frac{7}{12}$

POR TU CUENTA

Ver Cuaderno de actividades B:
Práctica 4, págs. 101 a 106

Exploremos

Alex, Ben y Connor tienen una tira fraccionaria del mismo tamaño cada uno.
La fracción de Alex es mayor que la de Ben y que la de Connor.
La fracción de Ben es menor que la de Connor.

Observa la tira fraccionaria de Alex.
Traza y corta las tiras de Ben y de Connor en una hoja de papel.
Luego, dobla y divide cada barra en un número diferente de partes iguales.

1 ¿Cuáles pueden ser las fracciones de Ben y de Connor?
Sombrea las partes de cada barra para mostrar distintas respuestas posibles.

2 Escribe las fracciones y comprueba tus respuestas.

Continúa

3 ¿Hay otras respuestas posibles? Si es así, ¿cuáles son?

Copia la recta numérica en un papel cuadriculado.

Compara las fracciones con los puntos de referencia en común 0, $\frac{1}{2}$ y 1.

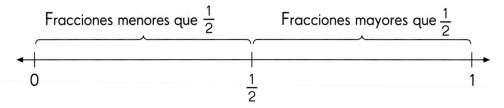

Fracciones menores que $\frac{1}{2}$ Fracciones mayores que $\frac{1}{2}$

0      $\frac{1}{2}$ 1

Las pistas son:

$\frac{2}{11}$ está más cerca de 0 que de $\frac{1}{2}$.

$\frac{8}{9}$ está más cerca de 1 que de $\frac{1}{2}$.

$\frac{5}{12}$ está más cerca de $\frac{1}{2}$ que de 0, pero es menor que $\frac{1}{2}$.

$\frac{4}{7}$ está más cerca de $\frac{1}{2}$ que de 1, pero es mayor que $\frac{1}{2}$.

4 Explora y ordena estas fracciones usando estos puntos de referencia. Comienza por la menor.

5 Nombra otra fracción que esté más cerca de 0 que de $\frac{1}{2}$.

6 Nombra otra fracción que esté más cerca de $\frac{1}{2}$ que de 0, pero que sea menor que $\frac{1}{2}$.

7 Nombra otra fracción que esté más cerca de $\frac{1}{2}$ que de 1, pero que sea mayor que $\frac{1}{2}$.

8 Nombra otra fracción que esté más cerca de 1 que de $\frac{1}{2}$.

Resuelve.

Matthew, Jacobo y Ethan tienen una tira fraccionaria del mismo tamaño cada uno. Matthew dobló su tira fraccionaria en 8 partes iguales y sombreó 7 partes. La fracción que sombreó Matthew es mayor que la de Jacobo y que la de Ethan. La fracción de Jacobo es menor que la de Ethan.

¿Cómo doblarías y sombrearías las tiras fraccionarias de Jacobo y de Ethan?

Primero, doblo la tira de Jacobo por la mitad y sombreo una parte.

Debo sombrear una fracción menor que $\frac{7}{8}$.

Compruebo mi respuesta: $\frac{1}{2} = \frac{4}{8}$.

Entonces, $\frac{1}{2}$ es menor que $\frac{7}{8}$.

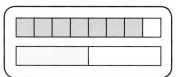

1 Ahora, haz una lista de todos los pasos que seguiste para llegar a tus respuestas para comparar las fracciones $\frac{1}{2}$, $\frac{4}{6}$ y $\frac{7}{8}$.

2 ¿Qué mitades pueden compararse? Explica tu respuesta.

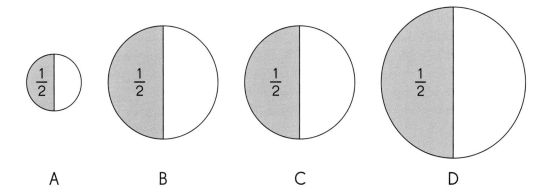

A   B   C   D

14.5 Sumar y restar fracciones semejantes

Objetivos de la lección

- Sumar dos o tres fracciones semejantes que sumen 1.
- Restar una fracción semejante de otra fracción semejante o de un entero.

Aprende

Suma fracciones semejantes.

Jerome comió $\frac{1}{7}$ de una tortilla.

Su hermano Randy comió $\frac{5}{7}$ de la tortilla.

¿Qué fracción de tortilla comieron en total?

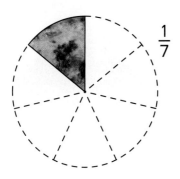 $\frac{1}{7}$

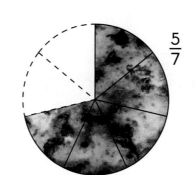 $\frac{5}{7}$

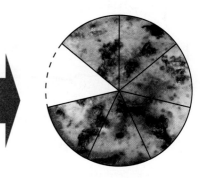

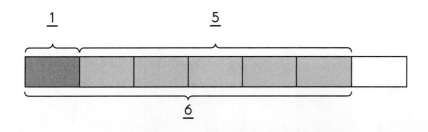

$$\frac{1}{7} + \frac{5}{7} = \frac{6}{7}$$

$\frac{1}{7} + \frac{5}{7}$

$= 1$ séptimo $+ 5$ séptimos

$= 6$ séptimos

Suma para hallar la fracción de tortilla que comieron en total.

Comieron $\frac{6}{7}$ de la tortilla en total.

Práctica con supervisión

Completa.

1 Suma $\frac{2}{6}$ y $\frac{3}{6}$.

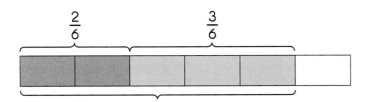

$$\frac{2}{6} + \frac{3}{6} = \boxed{}$$

Aprende

Resta fracciones semejantes.

Yvonne caminó $\frac{2}{7}$ de un sendero del bosque antes del almuerzo.

Volvió a caminar después del almuerzo.

Al final del día, había caminado $\frac{6}{7}$ del sendero.

¿Qué fracción de sendero caminó Yvonne después del almuerzo?

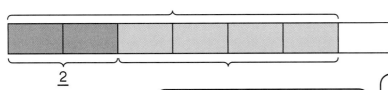

$$\frac{6}{7} - \frac{2}{7} = \frac{4}{7}$$

Resta para hallar la fracción de sendero que Yvonne caminó después del almuerzo.

$$\frac{6}{7} - \frac{2}{7}$$
$$= 6 \text{ séptimos} - 2 \text{ séptimos}$$
$$= 4 \text{ séptimos}$$

Yvonne caminó $\frac{4}{7}$ del sendero

del bosque después del almuerzo.

2 $1 - \dfrac{3}{5} = ?$

1 entero $= \dfrac{5}{5}$

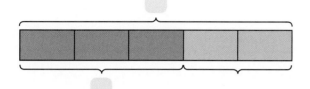

$$1 - \dfrac{3}{5} = \dfrac{5}{5} - \dfrac{3}{5}$$

$$=$$

Practiquemos

Suma o resta.

1 $\dfrac{6}{11} + \dfrac{5}{11} =$

2 $\dfrac{1}{12} + \dfrac{3}{12} + \dfrac{5}{12} =$

3 $\dfrac{7}{8} - \dfrac{4}{8} =$

4 $1 - \dfrac{1}{6} - \dfrac{3}{6} =$

POR TU CUENTA

Ver Cuaderno de actividades B:
Práctica 5, págs. 107 a 112

LECTURA Y ESCRITURA
Diario de matemáticas

Rachel está sumando fracciones.

Esto es lo que escribe:

$\dfrac{2}{4}$ $\dfrac{1}{4}$

$$\dfrac{2}{4} + \dfrac{1}{4} = \dfrac{3}{8}$$

¿Su resultado es correcto? Explica por qué.

14.6 Fracción de un conjunto

Objetivos de la lección

- Leer, escribir e identificar fracciones de un conjunto.
- Hallar la cantidad de elementos en una fracción de un conjunto.

Usa dibujos para representar fracciones como parte de un conjunto de objetos.

Hay 4 manzanas.
3 de las 4 manzanas son rojas.

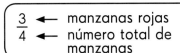

$\dfrac{3}{4}$ ← manzanas rojas
← número total de manzanas

¿Qué fracción de las manzanas son rojas?

$\dfrac{3}{4}$ de las manzanas son rojas.

Práctica con supervisión

Halla las fracciones de un conjunto.

Hay 10 flores.

1 ¿Qué fracción de las flores son rojas?

2 ¿Qué fracción de las flores son moradas?

3 ¿Qué fracción de las flores son amarillas?

4 ¿Qué fracción de las flores no son rojas?

Halla la fracción de una parte de objetos.

Este es un conjunto de 12 manzanas.
El conjunto de manzanas está dividido en 4 grupos iguales.
3 de los 4 grupos de manzanas son de manzanas rojas.

$\frac{3}{4}$ es 3 de 4 grupos iguales.

¿Qué fracción de las manzanas son rojas?

$\frac{3}{4}$ de las manzanas son rojas.

Práctica con supervisión

Completa.

5 El conjunto de patos se divide en ⬜ grupos iguales.

6 ¿Qué fracción de los patos son amarillos?

⬜ de los patos son amarillos.

7 ¿Qué fracción de los patos son morados?

⬜ de los patos son morados.

Halla la parte fraccionaria de un conjunto.

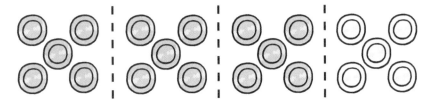

Hay 20 platos en el conjunto.

15 de los 20 platos son azules.

$\frac{3}{4}$ de los platos son azules.

Entonces, $\frac{3}{4}$ de 20 es 15.

Puedes hallar los elementos de la parte fraccionaria de un conjunto usando un modelo de barras.

20

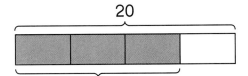

Las partes sombreadas del modelo de barras representan $\frac{3}{4}$ del conjunto.

Halla $\frac{3}{4}$ de 20.

4 unidades $\rightarrow$ 20
1 unidad $\rightarrow$ 20 $\div$ 4 = 5
3 unidades $\rightarrow$ 5 $\times$ 3 = 15

Entonces, $\frac{3}{4}$ de 20 es 15.

Práctica con supervisión

Completa.

8 John tiene 20 automóviles de juguete.

$\frac{3}{5}$ de los automóviles son amarillos.

¿Cuántos automóviles son amarillos?

_____ automóviles son amarillos.

9 Halla $\frac{3}{5}$ de 20 para saber cuántos automóviles son amarillos.

20

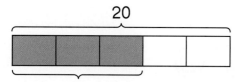

Dibuja un modelo de barras. Divídelo en 5 partes. Sombrea 3 partes.

5 unidades → ☐

1 unidad → ☐

3 unidades → ☐

Entonces, $\frac{3}{5}$ de 20 = ☐

☐ automóviles son amarillos.

Practiquemos

Resuelve.

Hay 15 frutas.

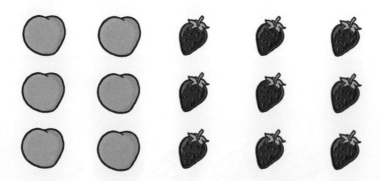

1 ¿Qué fracción de las frutas son duraznos? ☐

2 ¿Qué fracción de las frutas son fresas? ☐

Completa.

3 ¿Cuál de estos conjuntos representa la fracción $\frac{3}{4}$?

4 Jerry tiene 15 barras de cereal.

Sus amigos comieron $\frac{2}{3}$ de ellas.

¿Cuántas barras de cereal comieron sus amigos?

Halla $\frac{2}{3}$ de 15 para saber cuántas barras de cereal comieron sus amigos.

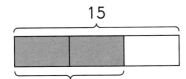

3 unidades ⟶

1 unidad ⟶

2 unidades ⟶

Entonces, $\frac{2}{3}$ de 15 =

Sus amigos comieron _____ barras de cereal.

POR TU CUENTA

Ver Cuaderno de actividades B:
Práctica 6, págs. 113 a 116

¡Ponte la gorra de pensar!

RESOLUCIÓN DE PROBLEMAS

1 El modelo representa $\frac{3}{4}$.

¿Cuál fracción de la parte sombreada debes borrar para que la parte sombreada restante sea $\frac{3}{8}$ de la tira?

> Prueba dibujando el modelo de otra manera.

2 Gary, Joey y Kylie comparten una pizza vegetariana. La pizza se divide en 9 porciones iguales.

Gary comió $\frac{2}{9}$ de la pizza.

Joey comió más pizza que Kylie.
Juntos comieron toda la pizza.

¿Cuáles son algunas de las posibles fracciones que representan las partes de pizza que comieron Joey y Kylie cada uno?

¿Cuál es la mayor fracción posible que describe la parte de pizza que comió Kylie?

> Prueba haciendo un modelo primero.

POR TU CUENTA

**Ver Cuaderno de actividades B:
¡Ponte la gorra de pensar!
págs. 117 a 118**

Resumen del capítulo

Guía de estudio
Has aprendido...

a comprender fracciones, el numerador y el denominador:

Fracciones unitarias

$\frac{1}{6}$ es un sexto

$\frac{1}{7}$ es un séptimo

$\frac{1}{8}$ es un octavo

$\frac{1}{9}$ es un noveno

$\frac{1}{10}$ es un décimo

$\frac{1}{11}$ es un onceavo

$\frac{1}{12}$ es un doceavo

a identificar fracciones para formar un entero.

$\frac{2}{5}$ y $\frac{3}{5}$ forman 1 entero.

Numerador y denominador

$\frac{2}{4}$ ← Numerador: número de partes iguales sombreadas
← Denominador: número de partes iguales en las que se divide el entero

Fracciones equivalentes:

Con un modelo

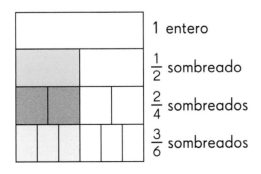

1 entero

$\frac{1}{2}$ sombreado

$\frac{2}{4}$ sombreados

$\frac{3}{6}$ sombreados

Con una recta numérica

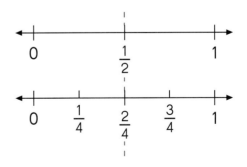

Con la multiplicación y la división

$$\frac{1}{2} = \frac{2}{4}$$ (×2)

$$\frac{1}{2} = \frac{2}{4}$$

$\frac{1}{2}$ y $\frac{2}{4}$ son fracciones equivalentes.

a comparar y ordenar fracciones:

Las fracciones semejantes son fracciones con el mismo denominador, y las fracciones no semejantes son fracciones con diferentes denominadores.

a comparar fracciones semejantes.

$\frac{3}{}$

$\frac{5}{}$

$\frac{1}{}$

$\frac{5}{7}$ es la mayor.

$\frac{1}{7}$ es la menor.

$\frac{5}{7},$ $\frac{3}{7},$ $\frac{1}{7}$

mayor

Cuando los denominadores son iguales, compara los numeradores.

a comparar fracciones no semejantes con el mismo numerador.

$\frac{1}{5}$

$\frac{1}{}$

$\frac{1}{}$

$\frac{1}{9}$ es menor que $\frac{1}{7}$.

$\frac{1}{5}$ es mayor que $\frac{1}{9}$.

a usar la multiplicación y la división para comparar.

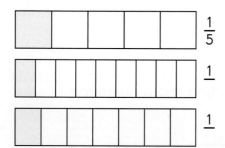

$$\frac{1}{3} = \frac{2}{6}$$ $\frac{1}{3}$ es menor que $\frac{5}{6}$.

(÷3)

$$\frac{6}{12} = \frac{2}{4}$$ $\frac{6}{12}$ es menor que $\frac{3}{4}$.

a usar rectas numéricas y un punto de referencia de $\frac{1}{2}$.

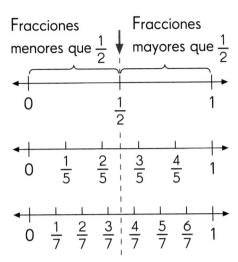

$\frac{4}{5} > \frac{1}{2}$.

$\frac{3}{7} < \frac{1}{2}$.

Entonces, $\frac{4}{5}$, $\frac{1}{2}$, $\frac{3}{7}$

mayor

a sumar y restar fracciones semejantes:

$\frac{1}{7} + \frac{5}{7} = \frac{6}{7}$

$\frac{6}{7} - \frac{2}{7} = \frac{4}{7}$

a hallar fracciones de un conjunto usando modelos.

$\frac{4}{6}$ de los botones son azules.

$\frac{2}{6}$ de los botones no son azules.

$\frac{6}{6}$ de los botones son redondos.

$\frac{1}{2}$ del conjunto de círculos es rojo.

$\frac{1}{2}$ de 8 es 4.

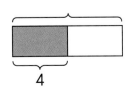

4

$\frac{1}{2}$ del modelo de barras está sombreado.

$\frac{1}{2}$ de 8 es 4.

Repaso/Prueba del capítulo

Vocabulario
Elige la palabra correcta.

1 En la fracción $\frac{4}{5}$, 4 es [____] y 5 es [____].

2 $\frac{1}{3}$ y $\frac{2}{3}$ forman [____].

3 $\frac{1}{3}$ y $\frac{3}{9}$ son [____].

4 $\frac{2}{8}$ y $\frac{3}{12}$ son equivalentes a $\frac{1}{4}$ en su [____].

5 Las [____] tienen el mismo denominador y las [____] tienen denominadores diferentes.

> denominador
> mínima expresión
> numerador
> entero
> fracciones equivalentes
> fracciones semejantes
> fracciones no semejantes

Conceptos y destrezas
Empareja los nombres fraccionarios con los modelos.

> dos sextos
> tres octavos
> seis doceavos

6 [____]

7 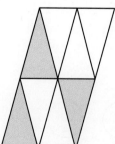 [____]

8 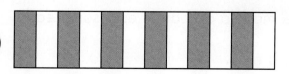 [____]

Completa.

$$\frac{1}{2} \quad = \quad \frac{}{4} \quad = \quad \frac{}{}$$

Halla fracciones equivalentes.

10 $\frac{3}{4} = \frac{}{8} = \frac{}{12}$

11 $\frac{2}{3} = \frac{}{6} = \frac{}{9}$

Simplifica la fracción.

12 $\frac{8}{12} = \frac{}{} = \frac{}{}$

Compara las fracciones.

13 $\frac{2}{3}$ y $\frac{2}{4}$

     es mayor que .

14 $\frac{1}{3}$ y $\frac{1}{4}$

     es menor que .

Halla fracciones equivalentes. Luego, ordena las fracciones de menor a mayor.

15 $\frac{1}{2} =$ $\frac{2}{3} =$ $\frac{1}{4} =$

     ,   ,

menor

¿Cuál es la fracción mayor? Usa $\frac{1}{2}$ como punto de referencia.

16 $\frac{2}{3}$, $\frac{1}{8}$

17 $\frac{3}{4}$, $\frac{5}{6}$

Suma o resta.

18 $\frac{3}{8} + \frac{2}{8} =$

19 $\frac{1}{6} +$ $= 1$

20 $\frac{5}{6} - \frac{2}{6} =$

21 $1 - \frac{1}{9} - \frac{5}{9} =$

Resolución de problemas

Resuelve.

22 La diferencia entre mi numerador y mi denominador es 3.
Mi denominador es el mayor número impar menor que 10.
¿Cuál fracción soy?

$$\frac{7}{10}, \ \frac{4}{7}, \ \frac{6}{9}, \ \frac{9}{12}$$

23 Vanesa tiene 18 galletas.
Se come 3.
¿Qué fracción de galletas le quedan?

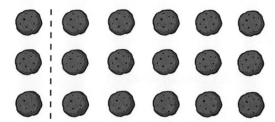

24 Rebeca lee $\frac{1}{6}$ de un libro por la mañana.

Luego, lee $\frac{3}{6}$ del libro por la tarde.

¿Qué fracción del libro ha leído?

25 Andrea está decorando un edredón de papel.

Pinta de rojo $\frac{2}{5}$ de los cuadrados.

Luego, pinta de azul $\frac{1}{5}$ de los cuadrados.

El resto de los cuadrados serán dorados.
¿Qué fracción del edredón será dorada?

15

Medidas usuales de longitud, peso y capacidad

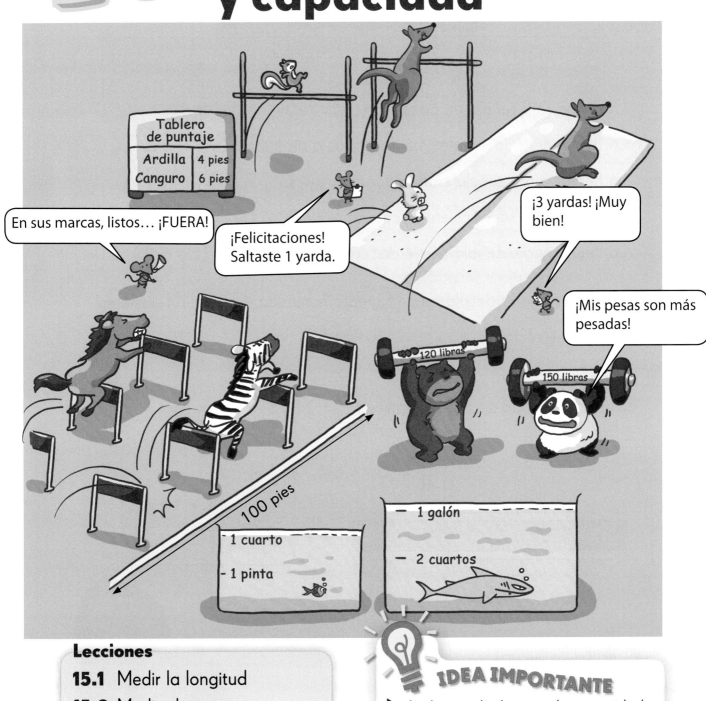

Lecciones

15.1 Medir la longitud

15.2 Medir el peso

15.3 Medir la capacidad

IDEA IMPORTANTE

▶ La longitud, el peso y la capacidad se pueden medir usando unidades del sistema usual.

Recordar conocimientos previos

Identificar fracciones en una recta numérica

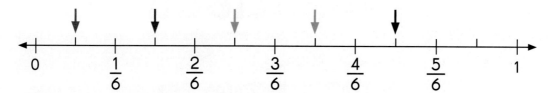

La flecha roja señala un doceavo ($\frac{1}{12}$).

La flecha morada señala tres doceavos o un cuarto ($\frac{3}{12}$ ó $\frac{1}{4}$).

La flecha verde señala cinco doceavos ($\frac{5}{12}$).

La flecha azul señala siete doceavos ($\frac{7}{12}$).

La flecha negra señala nueve doceavos o tres cuartos ($\frac{9}{12}$ ó $\frac{3}{4}$).

A medida que te desplazas en la recta numérica, la fracción aumenta un doceavo ($\frac{1}{12}$).

Sumar fracciones semejantes

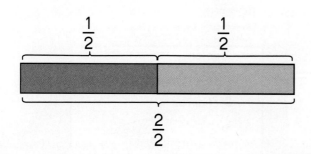

$$\frac{1}{2} + \frac{1}{2}$$
$$= 1 \text{ medio} + 1 \text{ medio}$$
$$= 2 \text{ medios}$$
o 1 entero

$$\frac{1}{2} + \frac{1}{2} = \frac{2}{2}$$
$$= 1$$

Medir la longitud en pies (ft) y en pulgadas (pulg)

Los pies (ft) y las pulgadas (pulg) son unidades de longitud del sistema usual.

1 pie (ft) = 12 pulgadas (pulg)

Los pies se usan para medir longitudes más largas.
Las pulgadas se usan para medir longitudes más cortas.
Las reglas en pulgadas se usan para medir longitudes en el sistema usual.

La flecha señala 1 pulgada (pulg).

1 pie

Usar pies (ft) y pulgadas (pulg) para comparar longitudes

El clip mide aproximadamente una pulgada de longitud.

El libro de matemáticas mide menos que 10 pulgadas de longitud.

La mesa mide más que 2 pies de longitud.

Usar instrumentos para medir la masa

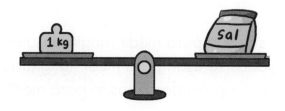

Las balanzas mecánicas y las balanzas de platillos son instrumentos que se usan para medir la masa.

Definir volumen y capacidad

El volumen es la cantidad de líquido que hay en un recipiente.
La capacidad es la cantidad de líquido que puede contener un recipiente.

Los recipientes más grandes tienen mayor capacidad que los recipientes más pequeños.

✔ Repaso rápido

Copia la recta numérica en papel cuadriculado.

Marca la fracciones $\frac{3}{8}$, $\frac{5}{8}$ y $\frac{7}{8}$ en la recta numérica.

 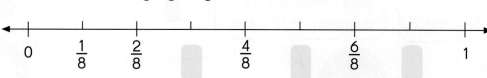

Completa.

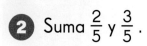 Suma $\frac{2}{5}$ y $\frac{3}{5}$.

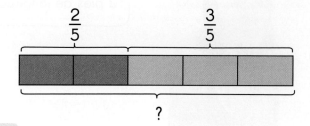

$$\frac{2}{5} + \frac{3}{5} = \boxed{}$$

Completa. Usa más cortas o más largas.

3 Los pies se usan para medir longitudes _____ .

4 Las pulgadas se usan para medir longitudes _____ .

Nombra dos objetos para cada medida.

5 aproximadamente una pulgada de longitud

6 más que un pie de longitud

7 menos que un pie de longitud

Elige la unidad de medida correcta para cada caso.
Usa pulgadas o pies.

8

9

Completa los espacios en blanco.

10 Para medir la masa, puedes usar _____ .

11 El recipiente _____ tiene mayor capacidad.

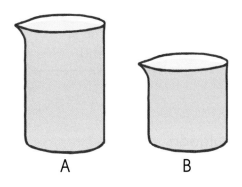

A   B

Lección 15.1 Medir la longitud

Objetivos de la lección

- Usar pulgadas, pies, yardas y millas como unidades de medida de longitud.
- Estimar y medir longitudes dadas.
- Usar referentes para estimar longitudes.

Vocabulario
pulgada (pulg)
media pulgada
pie (ft)
yarda (yd)
milla (mi)

Aprende **Estima y mide la longitud hasta la pulgada (pulg) más cercana.**

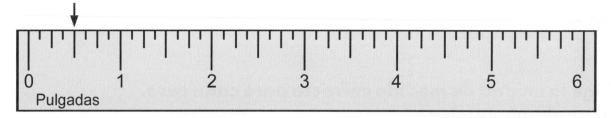

Esta es una regla en **pulgadas**.
En cada pulgada hay 8 divisiones.
La marca que está en el medio de dos marcas de pulgada es $\frac{1}{2}$ pulgada.

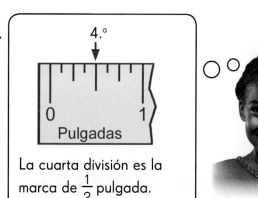

La cuarta división es la marca de $\frac{1}{2}$ pulgada.

Sally quiere medir la longitud de estos objetos.

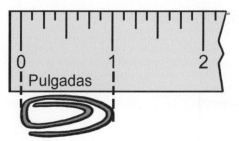

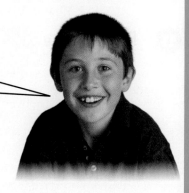

Alinea un extremo del clip con la marca del 0.

La longitud del clip es 1 pulgada.
Puedes usar este clip para estimar longitudes cortas en pulgadas.

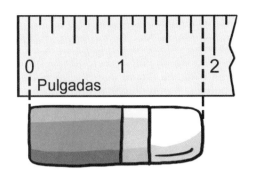

Medida hasta la pulgada más cercana, la longitud de la goma de borrar es 2 pulgadas.

La longitud de la goma de borrar es más que 1 pulgada, pero menos que 2 pulgadas.

Está más cerca de 2 pulgadas que de 1 pulgada.

Entonces, la longitud de la goma de borrar es aproximadamente 2 pulgadas.

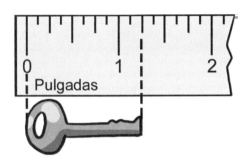

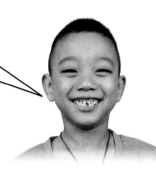

Medida hasta la pulgada más cercana, la longitud de la llave es 1 pulgada.

La longitud de la llave es más que 1 pulgada, pero menos que 2 pulgadas.

Está más cerca de 1 pulgada que de 2 pulgadas.

Entonces, la longitud de la llave es aproximadamente 1 pulgada.

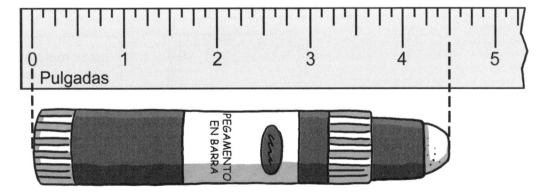

La longitud del pegamento en barra es más que 4 pulgadas, pero menos que 5 pulgadas.

Mide 4 y $\frac{1}{2}$ pulgadas de longitud.

Entonces, la longitud del pegamento en barra es aproximadamente 5 pulgadas.

Práctica con supervisión

Completa.

Estima mentalmente la longitud de la grapadora.

La grapadora mide aproximadamente 3 estampillas de longitud.

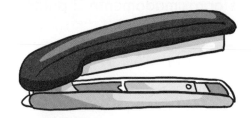

1 La grapadora mide aproximadamente [   ] pulg de longitud.

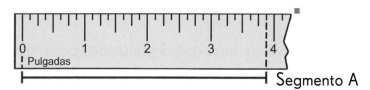

Segmento A

2 El segmento A mide aproximadamente [   ] pulg de longitud.

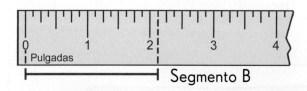

Segmento B

Estas reglas son más pequeñas que las reales.

3 El segmento B mide aproximadamente [   ] pulg de longitud.

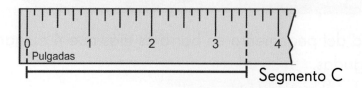

Segmento C

4 El segmento C mide aproximadamente [   ] pulg de longitud.

Estima y mide la longitud hasta la media pulgada más cercana.

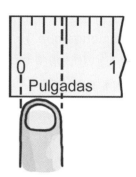

Un dedo mide aproximadamente $\frac{1}{2}$ pulgada de ancho.
Puedes usar el ancho de un dedo para estimar
longitudes cortas.

Esta es una goma de borrar.
Ahora, mide la goma de borrar con una regla.

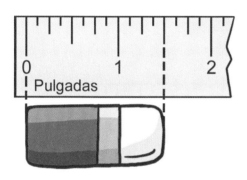

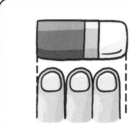

La goma de borrar mide aproximadamente el ancho de 3 dedos.

La longitud de la goma de borrar medida hasta la media pulgada más cercana es $1\frac{1}{2}$ pulgadas.

$1\frac{1}{2}$ pulgadas se lee así:
"una

$1\frac{1}{2}$ es un número mixto. Significa un medio más que uno.
Es el número que está en medio de 1 y 2.

$2\frac{1}{2}$ significa un medio más que dos. $2\frac{1}{2}$ es el número que está en medio de 2 y 3.

¿Cómo se leen estos números mixtos? ¿Qué significan?
$3\frac{1}{2}$: tres y medio $4\frac{1}{2}$: cuatro y medio

Continúa

Gina quiere medir el ancho y la longitud de un lápiz.

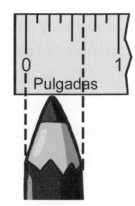

El ancho del lápiz es menos que 1 pulgada, pero más que $\frac{1}{2}$ pulgada.

Está más cerca de $\frac{1}{2}$ pulgada que de 1 pulgada.

Entonces, el ancho del lápiz es aproximadamente $\frac{1}{2}$ pulgada.

La longitud del lápiz es más que 4 pulgadas, pero menos que $4\frac{1}{2}$ pulgadas.

Está más cerca de la marca de $\frac{1}{2}$ pulgada.

Entonces, la longitud del lápiz es aproximadamente $4\frac{1}{2}$ pulgadas.

Medido hasta la $\frac{1}{2}$ pulgada más cercana, el ancho del lápiz es $\frac{1}{2}$ pulgada.

Medida hasta la media pulgada más cercana, la longitud del lápiz es $4\frac{1}{2}$ pulgadas.

Gina también quiere estimar la longitud de 3 cintas.

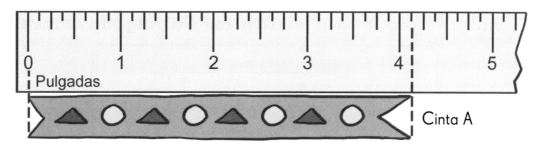

Cinta A

La cinta A mide más que 4 pulgadas, pero menos que $4\frac{1}{2}$ pulgadas de longitud.

Está más cerca de 4 pulgadas que de $4\frac{1}{2}$ pulgadas.

Entonces, medida hasta la media pulgada más cercana, la longitud de la cinta A es 4 pulgadas.

Cinta B

La cinta B mide más que $2\frac{1}{2}$ pulgadas, pero menos que 3 pulgadas de longitud.

Está más cerca de 3 pulgadas que de $2\frac{1}{2}$ pulgadas.

Entonces, medida hasta la media pulgada más cercana, la longitud de la cinta B es 3 pulgadas.

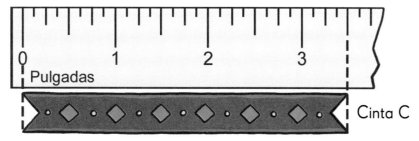

Cinta C

La cinta C mide más que 3 pulgadas, pero menos que 4 pulgadas de longitud.

Mide $3\frac{1}{2}$ pulgadas de longitud.

Entonces, medida hasta la media pulgada más cercana, la longitud de la cinta C es $3\frac{1}{2}$ pulgadas.

Las longitudes de las cintas A, B y C se midieron hasta la media pulgada más cercana.

Práctica con supervisión

Estima la longitud en cada caso hasta la media pulgada más cercana.

5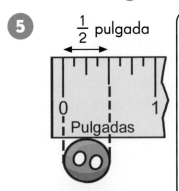

$\frac{1}{2}$ pulgada

1 botón mide $\frac{1}{2}$ pulgada de longitud.

$\frac{1}{2} + \frac{1}{2} = 1$

Entonces, 2 botones miden 1 pulgada de longitud.

La hoja mide aproximadamente 4 botones de longitud.

$\frac{1}{2} + \frac{1}{2} + \frac{1}{2} + \frac{1}{2} = 1 + 1$

Entonces, 4 botones miden ⬜ pulgadas de longitud.

La hoja mide aproximadamente ⬜ pulgadas de longitud.

6

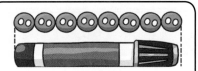

El marcador mide aproximadamente 8 botones de longitud.

El marcador mide aproximadamente ⬜ pulgadas de longitud.

Mide la longitud de cada segmento hasta la media pulgada más cercana.

7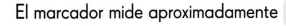

Esta regla es más pequeña que una real.

El segmento A mide más que ⬜ pulgadas, pero menos que ⬜ pulgadas.

Está más cerca de ⬜ pulgadas que de ⬜ pulgadas.

Medido hasta la media pulgada más cercana, el segmento A mide ⬜ pulgadas.

8

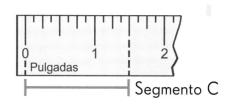

Segmento B

El segmento B mide más que _____ pulgadas, pero menos que _____ pulgadas.

Está más cerca de _____ pulgadas que de _____ pulgadas.

Medido hasta la media pulgada más cercana, el segmento B mide _____ pulgadas.

9

Segmento C

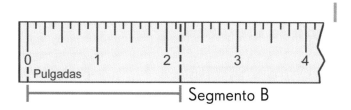

Estas reglas son más pequeñas que las reales.

El segmento C mide más que _____ pulgada, pero menos que _____ pulgadas.

Mide _____ pulgadas de longitud.

Medido hasta la media pulgada más cercana, el segmento C mide _____ pulgadas.

Halla la longitud en cada caso hasta la media pulgada más cercana.

10 La longitud de las tijeras es

aproximadamente _____ pulgadas.

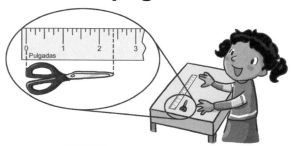

11 La longitud de las tijeras es

aproximadamente _____ pulgadas.

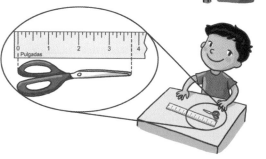

Usa pies para medir la longitud.

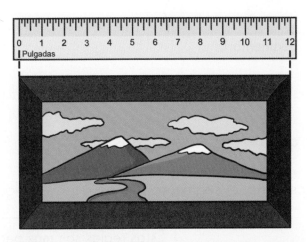

La longitud de este marco es aproximadamente 1 pie. Usa pies para medir objetos más largos.

El **pie** es otra unidad estándar de longitud.
El símbolo que representa al pie es ft.
Lee 1 ft como 1 pie.
Lee 2 ft como 2 pies.
1 (ft) pie = 12 pulgadas (pulg)

Un sobre grande, una hoja de papel y una pelota de fútbol americano miden aproximadamente 1 pie de longitud.

La longitud de la bota es más que 1 pie.
La longitud del zapato es menos que 1 pie.

Tanto la bota como el zapato miden cerca de 1 pie de longitud. Entonces, la bota y el zapato miden aproximadamente 1 pie.

Práctica con supervisión

Completa.

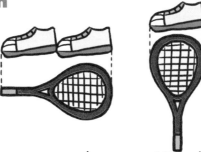

La longitud de cada zapato es aproximadamente 12 pulgadas.

12 La longitud de la raqueta de tenis es aproximadamente _____ pies.

13 El ancho de la raqueta de tenis es aproximadamente _____ pie.

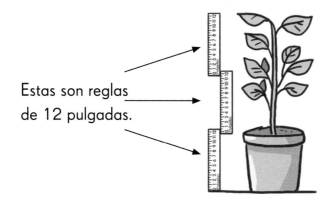

Estas son reglas de 12 pulgadas.

14 La planta mide aproximadamente _____ pie(s) de altura.

Completa. Usa más alta o más baja.

15 La planta es _____ que 2 pies.

Estima el ancho o la longitud en cada caso hasta el pie más cercano.

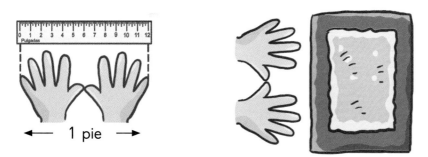

1 pie

16 El tapete mide aproximadamente _____ pie de longitud.

17 El televisor mide aproximadamente [ ] pies de altura.

 **Manos a la obra**

Materiales:
• reglas de
  12 pulgadas

Primero, estima la longitud en cada caso en pies. Luego, usa las reglas para medir la longitud real.

Objetos	Estimación	Longitud real
Longitud de un tablero de anuncios		
Altura del escritorio del maestro		
Longitud de tu escritorio		
Altura de tu silla		
Longitud del pizarrón		

Usa yardas para medir la longitud.

1 yarda

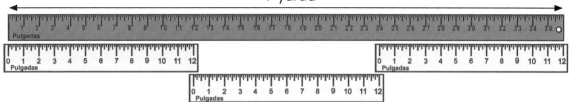

Una regla de 1 yarda mide 3 veces lo que mide una regla de 12 pulgadas.

La **yarda** es otra unidad estándar de longitud del sistema usual.
Se usa para medir longitudes largas y distancias cortas.
El símbolo que representa la yarda es yd.

1 yarda (yd) = 3 pies (ft)
1 yarda (yd) = 36 pulgadas (pulg)

1 ft = 12 pulg
3 ft = 12 × 3
= 36 pulg

Un bate de béisbol mide aproximadamente 1 yarda de longitud.
La puerta de entrada de una casa mide aproximadamente
1 yarda de ancho.

La altura aproximada de la puerta es 2 yardas. La longitud de mi jardín es aproximadamente 10 yardas. Entre mi casa y la de mi vecino hay una distancia aproximada de 40 yardas.

El niño es más bajo que 1 yarda.
La niña es más alta que 1 yarda.

La estatura de ambos niños se acerca a 1 yarda. Entonces, la estatura de ambos es aproximadamente 1 yarda.

Esta es una regla de 1 yarda.

Continúa

La longitud de la mesa es 1 yarda.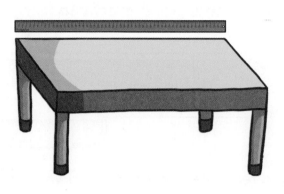

Práctica con supervisión

Estima la altura en cada caso hasta la yarda más cercana.

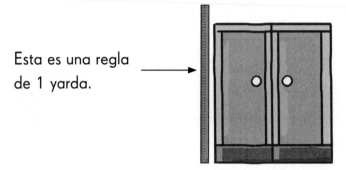

Esta es una regla
de 1 yarda. →

18 La altura del armario es aproximadamente ⬜ yarda.

Esta es una regla
de 1 yarda. →

19 La altura de la planta es ⬜ yarda.

Completa. Usa más alta y más baja.

20 Una silla es ⬜ que 3 yardas.

21 Una casa es ⬜ que 2 yardas.

Estima la longitud en cada caso hasta la yarda más cercana.

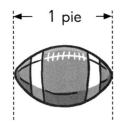

1 pie

El bate de béisbol mide aproximadamente _____ pelotas de fútbol americano de longitud.

Bate de béisbol

22 La longitud del bate de béisbol es aproximadamente _____ yarda.

23 La longitud de un automóvil es aproximadamente _____ yardas.

Manos a la obra

Materiales:
* cinta para medir de 1 yarda

Estima la longitud para cada caso en yardas. Luego, usa una cinta para medir de 1 yarda para medir los objetos.

Objetos	Estimación	Longitud real
Longitud de tu salón de clases		
Ancho de tu salón de clases		
Altura de una puerta		
Ancho de una puerta		
Longitud de un pasillo		
Ancho de un pasillo		

Usa millas para medir la longitud.

La unidad estándar del sistema usual para medir distancias es la **milla**.
El símbolo que representa la milla es mi.

La distancia que puedes recorrer en 20 minutos, si caminas a buen paso, es aproximadamente 1 milla.

Jerome estima que la distancia entre su casa y la escuela es 1 milla.

1 milla (mi) = 1,760 yardas (yd)
1 milla (mi) = 5,280 pies (ft)

1 yd = 3 ft

Entre mi casa y la escuela hay 1,760 yardas, o 1 milla.

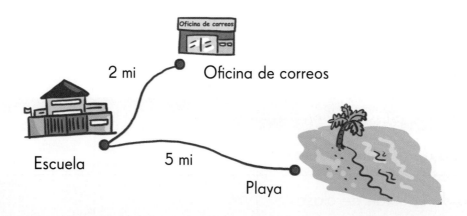

2 mi — Oficina de correos

Escuela — 5 mi — Playa

La distancia entre la escuela y la oficina de correos es 2 millas.

¿Está la escuela a unas 3,500 yardas de la oficina de correos?

Sí. La oficina de correos también está a unos 10,000 pies de la escuela.

La distancia entre la escuela y la playa es 5 millas.

¿Está la escuela aproximadamente a 5,000 yardas de la playa?

No. Está a más de 5,000 yardas. Está a 5 millas. Entonces, está aproximadamente a 8,800 yardas de la playa.

Práctica con supervisión

Completa.

24 Un helicóptero está volando a una altura de 5,257 pies.

Está aproximadamente a _____ milla de altura.

$$1 \text{ mi} = 5,280 \text{ (ft)}$$

Rebeca estimó que la distancia entre su casa y la escuela es aproximadamente 1 milla.

Casa de Rebeca   Escuela

25 Da dos posibles distancias en pies que se aproximen a 1 milla.

Las distancias son _____ y _____ .

26 Da dos posibles distancias en yardas que se aproximen a 2 millas.

Las distancias son _____ y _____ .

27 Una caminata de 3 millas a buen paso suele tomar _____ minutos.

Practiquemos

Mide el segmento hasta la pulgada más cercana.

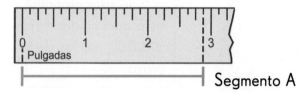

Segmento A

1 El segmento A mide aproximadamente ⬚ pulgadas.

Mide los segmentos hasta la media pulgada más cercana.

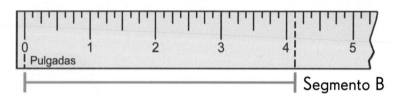

Segmento B

Estas reglas son más pequeñas que las reales.

2 El segmento B mide aproximadamente ⬚ pulgadas.

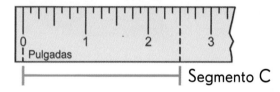

Segmento C

3 El segmento C mide aproximadamente ⬚ pulgadas.

Elige la unidad que usarías para medir en cada caso. Usa pulgada, pie, yarda o milla.

4 la longitud de un par de anteojos ⬚

5 la longitud de un campo de fútbol americano ⬚

Elige la mejor estimación para cada caso.

6 La longitud de un avión de juguete es aproximadamente 2 pulgadas/pies/yardas/millas .

7 La distancia que podría haber de la casa de un niño a la escuela es aproximadamente 2 pulgadas/pies/yardas/millas .

Completa.

8 El ancho de 2 dedos es aproximadamente 1 pulgada.
¿Cuál de estos objetos mide aproximadamente 1 pulgada?

tenedor

tapa de botella

Libro de ejercicios

libro de ejercicios

9 1 pie es igual a 12 pulgadas. ¿Cuál de estos objetos
mide aproximadamente 1 pie de longitud?

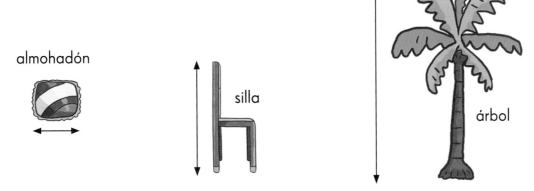

almohadón

silla

árbol

10 ¿Cuál de estos objetos mide aproximadamente 1 yarda de longitud?

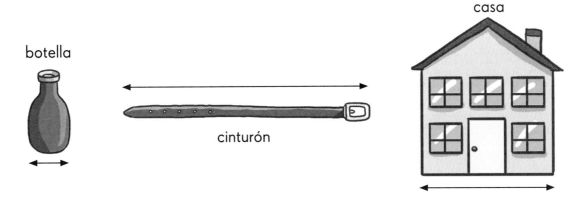

botella

cinturón

casa

11 ¿Cuánto tiempo te toma caminar 2 millas a buen paso?

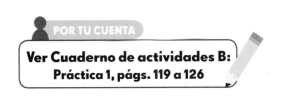

POR TU CUENTA

**Ver Cuaderno de actividades B:
Práctica 1, págs. 119 a 126**

15.2 Medir el peso

Objetivos de la lección

- Usar onzas, libras y toneladas como unidades de medida de peso.
- Leer balanzas en onzas (oz) y en libras (lb).
- Estimar y hallar los pesos reales de objetos usando diferentes tipos de balanzas.
- Usar referentes para estimar el peso.

Vocabulario
onza (oz)
libra (lb)
tonelada (T)

Aprende — Usa onzas para medir el peso.

> La **onza** es una unidad estándar de peso del sistema usual.
> Se usa para medir objetos livianos.
> El símbolo que representa la onza es oz.

Esta es una balanza mecánica que mide objetos livianos en onzas.

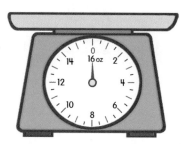

La balanza mecánica muestra el peso de 1 rebanada de pan. El peso de la rebanada de pan es aproximadamente 1 onza.

La balanza de platillos muestra el peso de unas zanahorias.

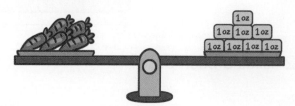

El peso de las zanahorias es aproximadamente 8 onzas.

Práctica con supervisión

Completa.

La balanza mecánica muestra el peso de 5 uvas.
El peso de las uvas es aproximadamente 1 onza.

1 Haz una predicción. ¿Cuánto pesa un racimo de uvas?

2 El peso de este racimo de uvas es _____ onzas.

Pesa objetos hasta la onza más cercana.

La manecilla de la balanza mecánica está más cerca de la marca de 3 onzas.

Los lápices pesan más que 3 onzas,
pero menos que 4 onzas.
Los lápices pesan aproximadamente 3 onzas.

Continúa

Las cerezas pesan más que 9 onzas,
pero menos que 10 onzas.

La manecilla de la balanza mecánica está más cerca de la marca de 10 onzas.

Las cerezas pesan aproximadamente 10 onzas.

La bolsa de hongos pesa más que
8 onzas, pero menos que 9 onzas.
La manecilla señala la marca que está en
medio de 8 onzas y 9 onzas.

La bolsa de hongos pesa aproximadamente 9 onzas.

Una rebanada de pan pesa aproximadamente 1 onza.
Puedes usar la rebanada de pan para estimar
el peso de otros objetos livianos.

1 rebanada de pan pesa aproximadamente 1 onza.
4 rebanada de pan pesan aproximadamente 4 onzas.

La manzana pesa aproximadamente 4 onzas.

Práctica con supervisión

Completa.

3 ¿Cuánto pesan 3 manzanas? _____ onzas

4 ¿Cuánto pesa un tubo de dentífrico? aproximadamente _____ onzas

5 ¿Cuánto pesan 2 pelotas de tenis? aproximadamente _____ onzas

Una rebanada de queso pesa aproximadamente 1 onza.

6 Los 2 limones pesan aproximadamente _____ onzas.

Manos a la obra

Materiales:
• balanza mecánica

Trabaja con tus amigos y pesa estos objetos de tu salón de clases.

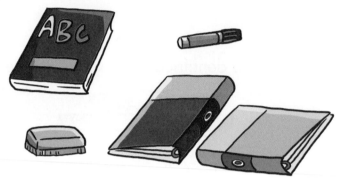

Haz una copia de esta tabla.
Predice el peso para cada caso en onzas.
Agrega tres objetos más a la tabla.

Luego, haz las mediciones con una balanza mecánica en onzas.
Anota tus respuestas en tu copia de la tabla.

Objetos	Estimación	Peso real
Tu libro de matemáticas		
Un marcador		
Un borrador		
Dos carpetas		

Usa libras para medir el peso.

La **libra** es otra unidad estándar de peso del sistema usual.
Se usa para medir objetos pesados.
El símbolo que representa la libra es lb.

Esta es una balanza mecánica que mide objetos pesados en libras.

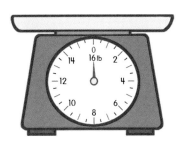

La balanza mecánica muestra el peso de 1 barra de pan.
El peso de la barra de pan es aproximadamente 1 libra.

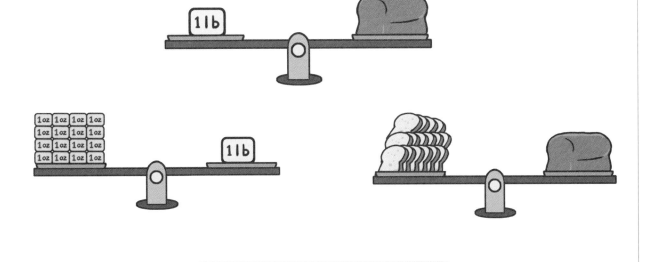

1 libra (lb) = 16 onzas (oz)

Práctica con supervisión

Completa.

7 La bolsa de papas pesa ⬜ libras.

8 Las peras pesan aproximadamente ⬜ libras.

Compara. Elige > o <.

9 2 lb ⬜ 2 oz

10 18 oz ⬜ 12 lb

11 2 lb ⬜ 20 oz

Pesa objetos hasta la libra más cercana.

Los plátanos pesan más que
2 libras, pero menos que 3 libras.

Los plátanos pesan aproximadamente
2 libras.

La manecilla de la balanza mecánica está más cerca de la marca de 2 libras.

La calabaza pesa más que
2 libras, pero menos que 3 libras.

La calabaza pesa aproximadamente
3 libras.

La manecilla de la balanza mecánica está más cerca de la marca de 3 libras.

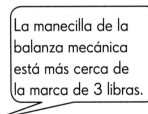

Continúa

El pescado y los camarones pesan más que 13 libras, pero menos que 14 libras.
La manecilla señala la marca que está en medio de 13 libras y 14 libras.

El pescado y los camarones pesan aproximadamente 14 libras.

Una barra de pan pesa aproximadamente 1 libra. Puedes usar la barra de pan para estimar el peso de otros objetos pesados.

1 barra de pan pesa aproximadamente 1 libra.
2 barras de pan pesan aproximadamente 2 libras.

La pierna de cordero pesa aproximadamente 2 libras.

Práctica con supervisión

Completa.

12 El paquete de harina pesa _____ libras.

13 La sandía pesa aproximadamente _____ libras.

14 La bolsa de tomates pesa aproximadamente _____ libras.

Estima el peso en libras.

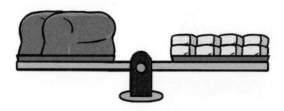

1 barra de pan pesa 1 libra.

15 Las barras de mantequilla pesan aproximadamente ____ libras.

Elige la respuesta correcta.

16 Una canasta de frutas pesa aproximadamente 10 onzas/libras .

17 Una caja de cereal pesa aproximadamente 18 onzas/libras .

18 15 libras son más pesadas/más livianas que 12 onzas.

19 25 onzas son más pesadas/más livianas que 15 libras.

20 20 onzas son más pesadas/más livianas que 20 libras.

21 50 libras son más pesadas/más livianas que 55 onzas.

Completa.

22 Una rebanada de pan pesa aproximadamente 1 onza. Nombra otro objeto de tu entorno que pese aproximadamente 1 onza.

23 Una barra de pan pesa aproximadamente 1 libra. Nombra otro objeto de tu entorno que pese aproximadamente 1 libra.

 **Manos a la obra**

1

Predice el peso en cada caso en libras.
Luego, haz las mediciones con una balanza mecánica en libras.

Objetos	Estimación	Peso real
Tu bolso de la escuela		
Una pila de 2 libros		
4 botellas de agua		

2 Piensa en un supermercado.

¿Puedes nombrar 5 objetos que se midan en

a onzas?

b libras?

Ejemplos

habichuelas, queso, aceitunas, papas, mantequilla y cebollas

Estima el peso en toneladas.

La **tonelada** es otra unidad de peso del sistema usual.
Se usa para medir objetos muy pesados.
El símbolo que representa la tonelada es T.

un automóvil

1 tonelada = 2,000 libras

Un automóvil pesa aproximadamente 1 tonelada (T).

¿Qué objetos pueden medirse en toneladas?

Un elefante, una ballena, un helicóptero, un oso polar...

Un puñado de hongos pesa aproximadamente 8 onzas.
Un racimo de uvas y una piña pesan aproximadamente 4 libras.
Un tractor grande pesa aproximadamente 2 toneladas.

Elige la unidad más adecuada para medir cada caso.
Usa onza, libra o tonelada.

24 un racimo de plátanos

25 una rebanada de queso

26 un helicóptero

27 una ballena

Practiquemos

Halla el peso de cada objeto hasta la onza más cercana.

1

onzas

2

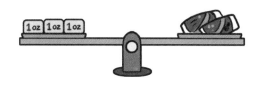

onzas

Halla el peso de cada objeto hasta la libra más cercana.

3

libras

4

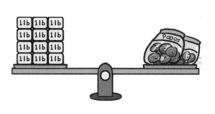

libras

Estima el peso de cada caso.

5 La bolsa de manzanas pesa aproximadamente [   ] libras.

6 5 limones pesan aproximadamente [   ] onzas.

7 El libro pesa aproximadamente [   ] libras.

8 El paquete de arroz pesa aproximadamente [   ] onzas.

Completa.

9 Una rebanada de pan pesa aproximadamente 1 onza.
Elige otro objeto que pese aproximadamente 1 onza.

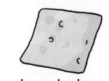

una rebanada de queso   un envase de leche   1 uva

10 Una libra es igual a 16 onzas. Elige el objeto que pesa aproximadamente 1 libra.

una barra de pan   un armario   una grapadora

11 Un automóvil pesa aproximadamente 1 tonelada. Elige un animal que pese aproximadamente 1 tonelada.

una oveja   un caballo   un escarabajo

Compara. Luego, completa los espacios en blanco con > o <.

12 8 oz ___ 2 lb

13 1 T ___ 1 lb

14 2 T ___ 2 oz

15 36 oz ___ 28 lb

Elige la unidad más adecuada para medir el peso en cada caso. Usa onza, libra o tonelada.

16 ballena

17 morsa

18 rebanada de queso

19 envase grande de leche

20 envase pequeño de leche

21 bebé

POR TU CUENTA

Ver Cuaderno de actividades B:
Práctica 2, págs. 127 a 130

Medir la capacidad

Objetivos de la lección

- Medir la capacidad en tazas (tz), pintas (pt), cuartos (ct) y galones (gal).
- Estimar y hallar la capacidad real de un recipiente.
- Relacionar unidades de capacidad entre sí.

Vocabulario

taza (tz)

pinta (pt)

cuarto (ct)

galón (gal)

Usa tazas para medir la capacidad.

Esta es una taza.

> La **taza** es una unidad estándar del sistema usual para medir la capacidad. El símbolo que representa la taza es tz.

La jarra está completamente llena de agua.

El agua de la jarra llena 5 tazas.

Entonces, la capacidad de la jarra es 5 tazas.

La capacidad es la cantidad de líquido que puede contener un recipiente.

Práctica con supervisión

Completa.

1 La jarra está completamente llena de agua.
El agua se sirve en las tazas.

¿Cuál es la capacidad de la jarra?　　　　tazas

2 Se vuelcan 9 tazas de agua para llenar un recipiente por completo.

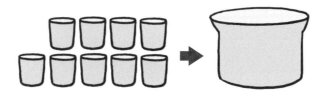

La capacidad del recipiente es　　　　tazas.

Aprende **Usa pintas para medir la capacidad.**

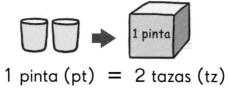

1 pinta (pt)　=　2 tazas (tz)

> 1 pinta de agua es igual que 2 tazas de agua.

Las 2 tazas están completamente llenas de agua.
Las 2 tazas de agua llenan por completo el envase de 1 pinta.

La **pinta** es una unidad estándar del sistema usual para medir la capacidad.
La capacidad del envase es 1 pinta.
El símbolo que representa la pinta es pt.

Práctica con supervisión

Completa.

3

Cada envase contiene 1 pinta de leche.
La cantidad total de leche en los cinco envases es [   ] tazas.

4 Imagina que tu bebida favorita es el jugo de arándano. ¿Preferirías

2 pintas o 2 tazas de jugo de arándano? [   ]

5 Imagina que no te gusta el yogur. ¿Preferirías 3 tazas o 1 pinta de

yogur? [   ]

Aprende

Usa cuartos para medir la capacidad.

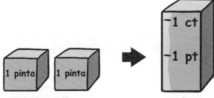

Estas 2 pintas de leche pueden llenar por completo
un envase más grande.

> El **cuarto** es una unidad estándar del sistema usual
> para medir la capacidad.
> La capacidad del envase más grande es 1 cuarto.
> El símbolo que representa el cuarto es ct.

1 cuarto (ct) = 2 pintas (pt)

1 cuarto de leche
es igual que 2
pintas de leche.

¿Cuántas tazas hay en 1 cuarto?
Multiplica para convertir las pintas a tazas.

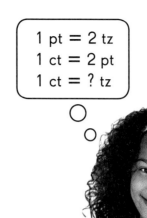

1 pt = 2 tz
1 ct = 2 pt
1 ct = ? tz

1 pt = 2 tz
2 pt = 4 tz

Entonces, 1 cuarto (ct) = 2 pintas (pt)
              1 cuarto (ct) = 4 tazas (tz)

Práctica con supervisión

Completa.

6 Rodney derramó 2 tazas de jugo de naranja. Noel derramó 1 cuarto
de jugo de arándano. ¿Quién derramó más jugo?

7 Liliana tiene una jarra que puede contener 1 cuarto de agua. También tiene
una botellita con una capacidad de 1 pinta. ¿Cuántas veces debe servir agua
con su botellita para llenar la jarra?

8 Tabitha compró 3 latas de un cuarto de pintura azul y 4 latas de una pinta
de pintura amarilla. ¿Compró más pintura amarilla o azul?

Multiplica para convertir
los cuartos a pintas y las
pintas a tazas.

Usa galones para medir la capacidad.

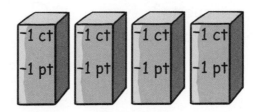

Un envase puede contener 1 cuarto de leche.
Estos 4 envases contienen 4 cuartos de leche.
Estos 4 cuartos de leche pueden llenar el recipiente por completo.

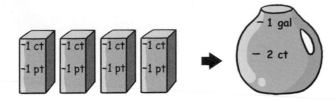

El **galón** es una unidad estándar del sistema usual para medir la capacidad. La capacidad del recipiente es 1 galón. El símbolo que representa el galón es gal.

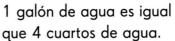

1 galón de agua es igual que 4 cuartos de agua.

¿Cuántas pintas hay en 1 galón?
Multiplica para convertir galones en pintas.

1 ct = 2 pt
4 ct = 8 pt

Entonces, 1 galón (gal) = 4 cuartos (ct)
            1 galón (gal) = 8 pintas (pt)

¿Cuántas tazas hay en 1 galón?

1 pt = 2 tz
1 gal = 8 pt
1 gal = 8 × 2
      = 16 tz

En 1 galón, hay 16 tazas.

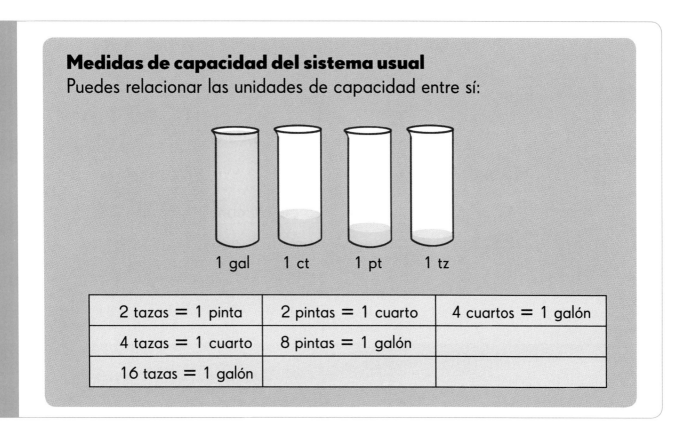

Medidas de capacidad del sistema usual

Puedes relacionar las unidades de capacidad entre sí:

1 gal   1 ct   1 pt   1 tz

2 tazas = 1 pinta	2 pintas = 1 cuarto	4 cuartos = 1 galón
4 tazas = 1 cuarto	8 pintas = 1 galón	
16 tazas = 1 galón		

Práctica con supervisión

Elige la unidad de medida más adecuada.
Usa cuarto, taza, pinta o galón.

9 leche para el desayuno

10 una lata grande de pintura

11 un envase pequeño de jugo de naranja

12 un recipiente mediano de jugo de tomate

Resuelve.

13 David y sus 7 amigos beben 1 galón de leche por día.

¿A cuántas tazas equivale eso?

$$1 \text{ gal} = 4 \text{ ct}$$
$$1 \text{ gal} = 4 \times 2$$
$$= 8 \text{ pt}$$
$$1 \text{ gal} = 8 \times 2$$
$$= 16 \text{ tz}$$

Multiplica para convertir los galones a tazas.

14 En el refrigerador hay 6 cuartos de jugo de tomate. Suki necesita 1 galón de jugo de tomate para una receta. ¿Tiene suficiente jugo de tomate? Responde sí o no.

15 Para una receta se necesitan 2 cuartos de leche de coco. ¿Cuántas veces debe llenarse una taza graduada para obtener 2 cuartos? _____ veces

16 John tiene 2 recipientes. El recipiente rojo puede contener 12 tazas de agua. El recipiente amarillo puede contener 9 pintas de agua. ¿Cuál es la diferencia de capacidad en pintas entre los dos recipientes? _____ pintas

 **Manos a la obra**

Materiales:
- un envase de 1 pinta
- jarra
- envase para medir
- 1 taza graduada

TRABAJAR EN GRUPO

1 Este envase tiene una capacidad estándar de 1 pinta.

1 pinta

Estima la capacidad de la jarra que te da tu maestro.
Llena los envases pequeños con agua de la jarra hasta que quede vacía.
¿Cuál es la capacidad de la jarra en pintas?
¿Cuál es la capacidad de la jarra en cuartos?

2 Trae algunos envases vacíos de tu casa.
Usa tazas y envases de 1 pinta para hallar la capacidad de cada uno.

Halla la capacidad de cada recipiente.

Un recipiente estaba totalmente lleno de agua. Gina volcó toda el agua del recipiente para llenar algunos envases de 1 pinta.

1 ¿Cuál es la capacidad del recipiente en pintas? _____ pintas

2 ¿Cuál es la capacidad del recipiente en tazas? _____ tazas

Completa.

3 La capacidad del recipiente es aproximadamente _____ tazas.

Completa. Usa mayor o menor.

4 La capacidad del recipiente del ejercicio **3** es _____ que 4 tazas.

5 La capacidad del recipiente del ejercicio **3** es _____ que 2 tazas.

Elige la mejor estimación.

6 15 pintas de pintura o 15 galones de pintura para pintar la casa

7 5 tazas de leche o 5 cuartos de leche por día para el bebé

8 45 pintas de agua o 45 galones de agua en una piscina inflable

9 4 galones de agua o 20 galones de agua en una bañera

Nombra dos objetos que se puedan hallar en un supermercado y que usen estas unidades de medida:

10 tazas ⬚ , ⬚

11 pintas ⬚ , ⬚

12 cuartos ⬚ , ⬚

13 galones ⬚ , ⬚

El recipiente está totalmente lleno de agua.
El agua se sirve en tazas.

Halla la capacidad del recipiente:

14 en tazas ⬚

15 en pintas ⬚

16 en cuartos ⬚

POR TU CUENTA

Ver Cuaderno de actividades B:
Práctica 3, págs. 131 a 134

Te dan un recipiente vacío y una taza.

Explica cómo hallarías la capacidad del recipiente.

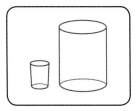

DESTREZAS DE RAZONAMIENTO CRÍTICO

¡Ponte el gorro de pensar!

RESOLUCIÓN DE PROBLEMAS

1 ¿Pueden los recipientes tener la misma capacidad, aunque tengan distintas formas? Explica por qué.

A

B

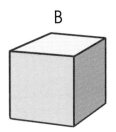

POR TU CUENTA

Ver Cuaderno de actividades B:
¡Ponte la gorra de pensar!
págs. 135 a 136

Resumen del capítulo

Guía de estudio

Has aprendido...

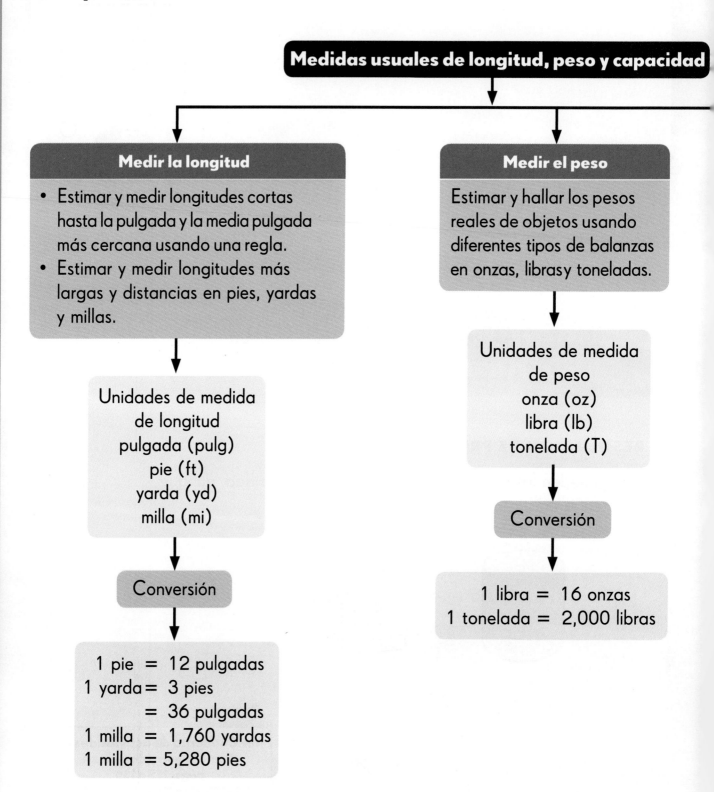

Medidas usuales de longitud, peso y capacidad

Medir la longitud

- Estimar y medir longitudes cortas hasta la pulgada y la media pulgada más cercana usando una regla.
- Estimar y medir longitudes más largas y distancias en pies, yardas y millas.

Unidades de medida
de longitud
pulgada (pulg)
pie (ft)
yarda (yd)
milla (mi)

Conversión

1 pie = 12 pulgadas
1 yarda = 3 pies
= 36 pulgadas
1 milla = 1,760 yardas
1 milla = 5,280 pies

Medir el peso

Estimar y hallar los pesos reales de objetos usando diferentes tipos de balanzas en onzas, libras y toneladas.

Unidades de medida
de peso
onza (oz)
libra (lb)
tonelada (T)

Conversión

1 libra = 16 onzas
1 tonelada = 2,000 libras

IDEA IMPORTANTE

▶ La longitud, el peso y la capacidad se pueden medir usando unidades del sistema usual.

Medir la capacidad

Estimar y hallar la capacidad real usando tazas graduadas de medida estándar.

Unidades de medida
de capacidad
taza (tz)
pinta (pt)
cuarto (ct)
galón (gal)

Conversión

1 pinta = 2 tazas
1 cuarto = 2 pintas
         = 4 tazas
1 galón = 4 cuartos
         = 16 tazas

Repaso/Prueba del capítulo

Vocabulario

Completa los espacios en blanco. Usa las palabras del recuadro.

> tazas   pies   galones   cuartos   pulgadas
> onzas   libras   toneladas   yardas   pintas

1 Rita usa _____ , _____ y _____ para medir la longitud.

2 Mary Anne usa _____ , _____ y _____ para medir el peso.

3 Sharon usa _____ , _____ , _____ y _____ para medir la capacidad.

Conceptos y destrezas

Observa la ilustración. Luego, responde a las preguntas.

Estas son reglas de 12 pulgadas.

4 1 pie = _____ pulgadas

5 1 yarda = _____ pies = _____ pulgadas

> Estas reglas son más pequeñas que las reales.

Completa los espacios en blanco.

6 1 milla = _____ yardas = _____ pies

7 5,280 pies equivalen exactamente a 1 _____ .

Usa una regla en pulgadas. Mide la longitud de cada segmento hasta la media pulgada más cercana.

Segmento A

8 El segmento A mide aproximadamente _____ pulgadas de longitud.

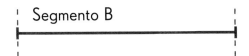

Segmento B

9 El segmento B mide aproximadamente _____ pulgadas de longitud.

El señor Mac Cartney va de excursión a una granja.
Ayúdalo a hallar el peso de cada animal en libras.

Completa los enunciados.

10 Un pavo pesa aproximadamente _____ libras.

11 Una oveja pesa aproximadamente _____ libras.

12 Un pollito pesa aproximadamente _____ libra.

Luego, el señor Mac Cartney quiere saber la cantidad de comida que comen algunos animales en libras y onzas.

Ayúdalo a completar las oraciones.

13 Los pollitos comen [____] onzas de cereal.

14 Las ovejas comen [____] libras de hierba verde fresca por día.

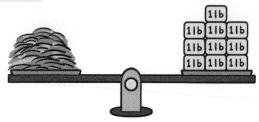

15 Todos los animales de la granja comen aproximadamente [____] toneladas de cereal por año.

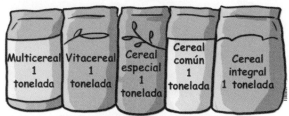

El señor Mac Cartney halla la cantidad de agua y leche que usa y la cantidad que vende Fred, el granjero.

Ayúdalo a completar los enunciados.

16 El granjero Fred usa [____] cuartos y [____] pintas de agua por día para regar su pequeño huerto.

17 2 pintas de agua es igual a _____ tazas.

18 El granjero Fred bebe 16 tazas de agua por día. Eso es igual a _____ galón/galones.

19 El granjero Fred vende _____ galón/galones de leche por día a sus vecinos.

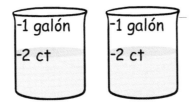

El granjero Fred se ocupa mucho de sus animales. Un día, mide la altura de la vaca, el cachorro y la oveja.

Ayúdalo a completar los enunciados

Estas son reglas de 1 yarda.

20 La vaca mide aproximadamente _____ yardas de altura.

Estas son reglas de 12 pulgadas.

21 El cachorro mide aproximadamente _____ pies de altura.

Estas son reglas de 12 pulgadas.

22 La oveja mide aproximadamente _____ pulgadas de altura.

El granjero Fred va a su granero todos los días.
Ayúdalo a hallar la distancia que recorre por día.

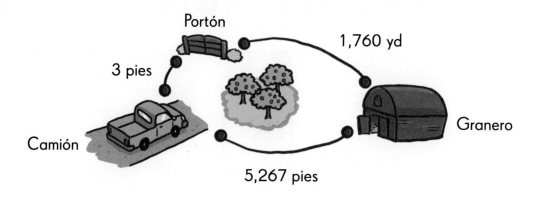

Portón

3 pies

1,760 yd

Camión

Granero

5,267 pies

Completa los enunciados.

23 Todos los días, el granjero Fred recorre ⬚ yarda(s) desde
su camión hasta el portón.

24 Recorre ⬚ milla del portón al granero.

25 En el camino de regreso del granero al camión,
recorre aproximadamente ⬚ milla.

Resolución de problemas
Resuelve.

26 El granjero Fred tiene un recipiente de jugo de naranja con una
capacidad de 4 cuartos. En este momento, el recipiente tiene
2 pintas de jugo de naranja. ¿Cuánto jugo más necesita para
llenar el recipiente por completo?

27 El lunes, el granjero Fred prepara 4 cuartos de jugo de
naranja. El martes prepara 2 cuartos de jugo más que los
lunes. El miércoles prepara 2 cuartos más que el martes.
Cada día prepara 2 cuartos más de jugo de naranja que los
que preparó el día anterior. ¿En cuántos días preparará un
total de 80 pintas de jugo de naranja?

La hora y la temperatura

Mamá, es mediodía y hace calor.

Mamá, hace mucho calor aquí con las ventanas cerradas.

Bienvenidas familias

El tiempo vuela.

Es verdad. Ahora está fresco. Me pondré la chaqueta.

¡Por fin estamos en casa! Aquí está agradable y cálido. Tomaré un vaso de agua fría mientras miro el programa de las 8 en punto.

Lecciones

16.1 Decir la hora

16.2 Convertir horas y minutos

16.3 Sumar horas y minutos

16.4 Restar horas y minutos

16.5 El tiempo transcurrido

16.6 Medir la temperatura

16.7 Problemas cotidianos: La hora y la temperatura

IDEA IMPORTANTE

▶ La hora se puede usar para decir cuándo comienzan y terminan las actividades, o cuánto dura una actividad.

▶ La temperatura se puede usar para comprender cómo va a estar el tiempo.

Recordar conocimientos previos

Contar de 5 en 5 para hallar los minutos

5   10   15   20   25   30   35

$7 \times 5 = 35$
El minutero indica 35 minutos.

Saber que 60 minutos son 1 hora

60 minutos = 1 hora

El minutero da una vuelta completa en 60 minutos.
El horario se mueve de un número al otro en 1 hora.

Decir la hora

Lee 2:30 así: dos y treinta.

a.m. indica las horas después de la medianoche, pero antes del mediodía.
p.m. indica las horas después del mediodía, pero antes de la medianoche.

Hallar el tiempo transcurrido

8:00 a.m. es 1 hora después de las 7:00 a.m.
7:00 a.m. es 1 hora antes de las 8:00 a.m.

10:30 a.m. es 30 minutos o media hora después de las 10 a.m.
10:30 a.m. es 30 minutos o media hora antes de las 11 a.m.

Leer números en una recta numérica

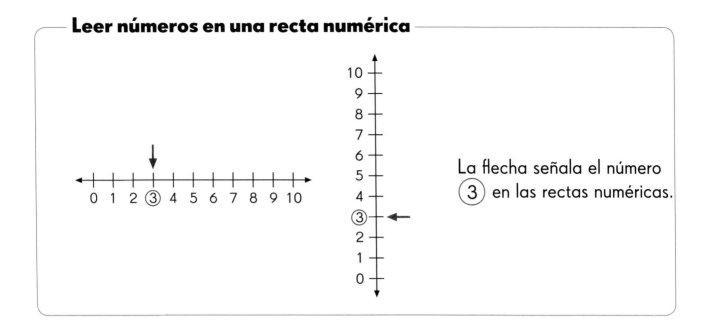

La flecha señala el número ③ en las rectas numéricas.

✔ Repaso rápido

Observa cada reloj. Luego, decide qué número falta.

1

El minutero indica

_____ minutos después de la hora.

2

El minutero indica

_____ minutos después de la hora.

Di qué hora es.

3

4

5 Pasaron 20 minutos de las 7.

6 Faltan 45 minutos para las 10.

Completa las oraciones con a.m. o p.m.

7

Robin desayuna a las
7:50

8

Cena a las 8:00

Halla la cantidad de tiempo transcurrido.

9 3 p.m. es ____ después de la 1:00 p.m.

10 4:30 a.m. es ____ antes de las 5:00 a.m.

11 El mediodía es ____ después de las 11:30 a.m.

16.1 Decir la hora

Objetivos de la lección

- Decir la hora con los minutos.
- Leer la hora en un reloj digital.

Vocabulario
hora   después de
minuto   para las

Aprende

Di qué hora es hasta el minuto más cercano.

1 minuto

Cada marca pequeña representa 1 **minuto**.

El minutero indica 5 minutos.

Los estudiantes están reunidos en el auditorio para asistir a una asamblea a las 9:20 a.m.

Ya son 20 minutos después de las 9 en punto.

También puedes decir que son 20 minutos **después de** las 9.

9:20

Son las nueve y veinte.

Continúa

A las 7:40 p.m., un grupo de personas visita el Centro Comunitario para hacer una cena de caridad.

Faltan 20 minutos para las 8 en punto.

$60 - 40 = 20$

Son las siete y cuarenta.

También puedes decir que faltan 20 minutos **para las** 8.

Práctica con supervisión

Halla los números que faltan.

Son las seis y quince.
Pasaron _____ minutos después de las 6.

6:15 quiere decir _____ minutos después de las 6.

Son las cinco y cuarenta y cinco.
Faltan _____ minutos para las 6.

5:45 quiere decir _____ minutos para las 6.

3

Son las tres y veinticinco.

Pasaron _____ minutos después de las 3.

60 − 30 = 30

4

Son las tres y media.

Faltan _____ minutos para las 4.

Completa con lo que corresponda: después de o para las.

5

8:07 quiere decir 7 minutos _____ las 8.

6

2:37 quiere decir 23 minutos _____ 3.

7

5:05 quiere decir 5 minutos _____ las 5.

8

_____ − 30 = _____

7:30 quiere decir 30 minutos _____ 8.

¡A mostrar y a decir la hora!

Jugadores: 2 grupos de estudiantes
Materiales:
- un reloj con manecillas

PASO 1 Un jugador del grupo 1 indica una hora moviendo el horario y el minutero.

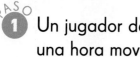

PASO 2 Un jugador del grupo 2 dice qué hora es de dos maneras distintas.

- dos y cincuenta
- 10 minutos para las 3

PASO 3 El grupo 1 comprueba la repuesta. El grupo 2 recibe 1 punto por cada respuesta correcta.

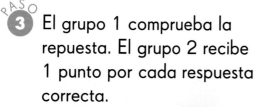

PASO 4 Luego, el jugador del grupo 2 indica la hora y el jugador del grupo 1 dice la hora.

- cinco y diecisiete
- 17 minutos después de las 5

PASO 5 Los grupos se turnan para mostrar y decir la hora.

¡El grupo con más puntos gana!

Practiquemos

Di qué hora es de dos maneras distintas.

1

2

3

4

Di qué hora es de otra manera.

5 5 minutos después de las 11 quiere decir _____ .

6 5 minutos para las 11 quiere decir _____ .

7 12 minutos después de las 6 quiere decir _____ .

8 15 minutos para las 8 quiere decir _____ .

Completa los espacios en blanco.

9 3:20 quiere decir _____ minutos después de las _____ .

10 12:35 quiere decir _____ minutos para la _____ .

POR TU CUENTA

Ver Cuaderno de actividades B:
Práctica 1, págs. 147 a 150

16.2 Convertir horas y minutos

Objetivo de la lección

- Convertir minutos a horas y horas a minutos.

Vocabulario
horas (h)
minutos (min)

Aprende

Convierte horas (h) a minutos (min).

Jerry anda en bicicleta 2 **horas**.
¿Cuántos **minutos** hay en 2 horas?

$1\ h = 60\ min$
$2\ h = 60\ min + 60\ min = 120\ min$

También puedes multiplicar para hallar el número de minutos.

$2\ h = 2 \times 60\ min = 120\ min$

En 2 horas hay 120 minutos.

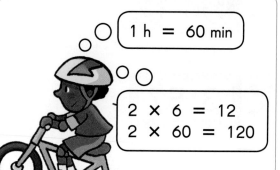

$1\ h = 60\ min$

$2 \times 6 = 12$
$2 \times 60 = 120$

h significa hora.	Lee 1 h así: una hora.
min significa minutos.	Lee 30 min así: treinta minutos.

Práctica con supervisión

Expresa la hora en minutos.

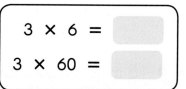

$3 \times 6 =$
$3 \times 60 =$

1 Jerry tardó 3 horas en hacer la tarea.
¿Cuántos minutos hay en 3 horas?

$3\ h =$ ___ min + ___ min + ___ min

= ___ min

También puedes multiplicar.

$3\ h =$ ___ $\times\ 60\ min$

= ___ min

En 3 horas hay ___ minutos.

Aprende

Convierte las horas y los minutos a minutos.

Matt juega al básquetbol durante 1 hora y 10 minutos.
¿Cuántos minutos hay en 1 hora y 10 minutos?

$$1 \text{ h } 10 \text{ min } = 60 \text{ min } + 10 \text{ min}$$
$$= 70 \text{ min}$$

1 h 10 min < 1 h = 60 min
                10 min

En 1 hora y 10 minutos, hay 70 minutos.

Práctica con supervisión

Expresa la hora en minutos.

2 El partido de béisbol de Kevin dura 2 horas y 30 minutos.
¿Cuántos minutos hay en 2 horas y 30 minutos?

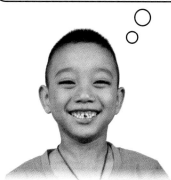

2 h 30 min < 2 h
             30 min

2 horas y 30 minutos

= _____ min + _____ min + _____ min

= _____ min

En 2 horas y 30 minutos, hay _____ minutos.

Expresa la hora en minutos.

3 2 h 45 min

= _____ min + _____ min

= _____ min

4 4 h 28 min

= _____ min + _____ min

= _____ min

1 h	=	60 min
2 h	=	2 × _____ min
	=	_____ min

1 h	=	60 min
4 h	=	4 × _____ min
	=	_____ min

Aprende

Convierte los minutos a horas y minutos.

Marshall tarda 135 minutos en cortar el césped.
¿Cuántas horas y minutos hay en 135 minutos?

135 min = 120 min + 15 min
          = 2 h 15 min

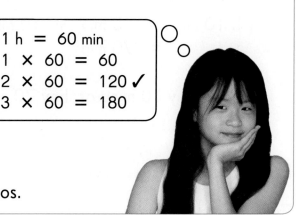

135 min $\big\langle$ 120 min = 2 h

15 min

1 h = 60 min
1 × 60 = 60
2 × 60 = 120 ✓
3 × 60 = 180

En 135 minutos, hay 2 horas y 15 minutos.

Práctica con supervisión

Expresa la hora en horas y minutos.

5 Samantha toca el piano durante 82 minutos.
¿Cuántas horas y minutos hay en 82 minutos?

82 min = ⬚ min + ⬚ min

= ⬚ h ⬚ min

En 82 minutos, hay ⬚ hora y ⬚ minutos.

Expresa la hora en horas y minutos.

6 90 min = ⬚ min + ⬚ min

= ⬚ h ⬚ min

7 130 min

8 145 min

9 192 min

Juego

¡Juguemos al bingo de la hora!

Jugadores: 2 grupos de 2 estudiantes

Materiales:
- Tarjetas con horas
- Cartones de juego

PASO 1 El grupo 1 saca una tarjeta del montón de tarjetas con horas. Ejemplos de tarjetas con horas:

1 h 25 min = ____ min

75 min = ____ h ____ min

PASO 2 Un jugador del grupo 1 escribe la hora de otra manera para completar la ecuación.

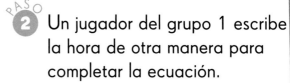

PASO 3 Los grupos se turnan. El grupo 1 marca sus respuestas en su cartón de juego con una X. El grupo 2 marca sus respuestas con una O.

100 min	60 min	240 min
1 h 15 min	2 h 5 min	85 min
130 min	63 min	3 h

¡El primer grupo que marque tres respuestas correctas en línea recta (↕ , ↔ , ↘ , ↗) en el cartón de juego gana!

Practiquemos

Completa los números conectados.

1 1 h 45 min $<$ ☐ h / ☐ min

2 3 h 40 min $<$ ☐ h / ☐ min

Completa los números conectados.

3 75 min $<$ ☐ h / ☐ min

4 140 min $<$ ☐ h / ☐ min

Expresa la hora en horas.

5 60 min = ☐ h

120 min
= ☐ × 60 min

6 120 min = 60 min + ☐ min

= ☐ h

7 180 min = 60 min + 60 min + ☐ min

= ☐ h

180 min
= ☐ × 60 min

Expresa la hora en minutos.

8 4 h 33 min = ☐

9 3 h 54 min = ☐

POR TU CUENTA

Ver Cuaderno de actividades B:
Práctica 2, págs. 151 a 154

16.3 Sumar horas y minutos

Objetivo de la lección

• Sumar horas con y sin reagrupación.

Aprende

Suma horas sin reagrupación.

Hoy por la mañana, el señor Carlson trabajó 2 horas y 15 minutos.
Por la tarde, trabajó 5 horas y 10 minutos.
¿Cuánto tiempo trabajó hoy?

2 h 15 min **+** 5 h 10 min **=** ?

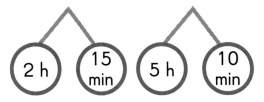

PASO 1 Suma las horas.

2 h ⟩ **+ 5 h** ⟩ 7 h

PASO 2 Suma los minutos.

15 min ⟩ **+ 10 min** ⟩ 25 min

2 h 15 min **+** 5 h 10 min **=** 7 h 25 min

Hoy, el señor Carlson trabajó 7 horas y 25 minutos.

Práctica con supervisión

Completa.

1 3 h 20 min **+** 4 h 15 min **=** ?

3 h 20 min **+** 4 h 15 min

= ____ h ____ min

3 h **+** 4 h **=** ____

20 min **+** 15 min **=** ____

Suma horas con reagrupación.

Emily toma un vuelo de Chicago a New York.
Espera 40 minutos para despachar su equipaje.
Luego, espera 1 hora y 55 minutos para subir al avión.
¿Cuánto espera en total?

40 min + 1 h 55 min = ?

 Suma los minutos.

40 min + 55 min = 95 min

95 min = 1 h 35 min

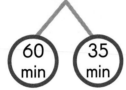

> 40 min y 55 min suman más que 60 min. Entonces, ¡hay que reagrupar el resultado!

PASO 2 Suma las horas.

1 h 35 min + 1 h = 2 h 35 min

En total, espera 2 horas y 35 minutos.

Práctica con supervisión

Completa.

2 2 h 45 min + 5 h 35 min = ?

Primero, suma los minutos.

45 min + 35 min = ⬜ min

⬜ min = ⬜ h ⬜ min

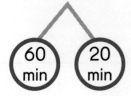

Luego, suma las horas.

2 h + 5 h + ⬜ h ⬜ min = ⬜ h ⬜ min

 **TRABAJAR EN PAREJAS** **Juego**

Jugadores: 2
Materiales:
- una ficha
- un tablero de juego

¡Juguemos a sumar la hora!

PASO **1** El jugador 1 lanza una ficha de modo que caiga en un reloj del tablero de juego.

PASO **2** El jugador escribe la hora que indica el dibujo del reloj.
Por ejemplo: el jugador escribe 50 minutos si la ficha cae en el reloj que indica 50 minutos.

PASO **3** El jugador 1 lanza la ficha otra vez y escribe otra hora.
Por ejemplo: el jugador saca 2 horas.
Luego, el jugador suma las dos horas.
50 min + 2 h = 2 h 50 min

PASO **4** El jugador 2 comprueba el resultado.
El jugador 1 recibe 1 punto por cada resultado correcto.

PASO **5** Los jugadores se turnan.
Juegan 5 rondas cada uno.

¡El jugador con más puntos gana!

Suma. Usa números conectados como ayuda.

1 4 h 15 min + 5 h 30 min

2 7 h 10 min + 2 h 45 min

3 2 h 35 min + 2 h 20 min

4 4 h 25 min + 1 h 15 min

5 1 h 40 min + 2 h 10 min

6 6 h 5 min + 1 h 35 min

Suma. Usa números conectados como ayuda.

7 3 h 40 min + 5 h 25 min

8 4 h 55 min + 6 h 15 min

9 2 h 57 min + 2 h 8 min

10 3 h 45 min + 1 h 40 min

57 min + 8 min = ____ min

= ____ h ____ min

11 3 h 45 min + 4 h 50 min

12 5 h 35 min + 1 h 37 min

13 3 h 25 min + 3 h 45 min

POR TU CUENTA

Ver Cuaderno de actividades B:
Práctica 3, págs. 155 a 156

16.4 Restar horas y minutos

Objetivo de la lección

• Restar horas con y sin reagrupación.

 Aprende

Resta horas sin reagrupación.

El señor Jackson tarda 2 horas y 15 minutos en pintar su habitación.
Tardó 1 hora y 5 minutos en pintar el comedor.
¿Cuánto tiempo más tardó en pintar la habitación que en pintar el comedor?

2 h 15 min − 1 h 5 min = ?

(2 h) (15 min) (1 h) (5 min)

 PASO 1 Resta las horas.

2 h ⟩ − 1 h ⟩ 1 h

 PASO 2 Resta los minutos.

15 min ⟩ − 5 min ⟩ 10 min

2 h 15 min − 1 h 5 min = 1 h 10 min

Tardó 1 hora y 10 minutos más en pintar la habitación que en pintar el comedor.

Práctica con supervisión

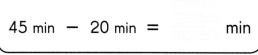

8 h − 3 h =   h

45 min − 20 min =   min

Completa.

1 8 h 45 min − 3 h 20 min = ?

8 h 45 min − 3 h 20 min

=   h   min

Resta horas con reagrupación.

Kris anda en bicicleta durante 4 horas y 30 minutos.
Joey anda en bicicleta durante 2 horas y 50 minutos.
¿Cuánto tiempo más anduvo en bicicleta Kris que Joey?

4 h 30 min — 2 h 50 min = ?

 PASO 1 Reagrupa 4 h y 30 min.

4 h 30 min = 3 h 90 min

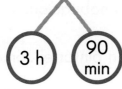

3 h   90 min

No puedes restar 50 minutos de 30 minutos. Entonces, reagrupa 4 horas y 30 minutos.

 PASO 2 Resta.

3 h 90 min — 2 h 50 min = 1 h 40 min

Kris anduvo en bicicleta 1 hora y 40 minutos más que Joey.

Práctica con supervisión

Completa.

2 7 h 20 min — 4 h 45 min = ?

Primero, reagrupa 7 h y 20 min.

7 h 20 min = 6 h [ ] min

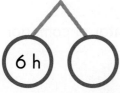

6 h

Luego, resta.

6 h [ ] min — 4 h [ ] min = [ ] h [ ] min

Resta.

3 4 h 30 min – 2 h 45 min

4 8 h 35 min — 4 h 50 min

¡A restar!

Jugadores: **4**
Materiales:
- tiras de papel
- una bolsa

PASO 1 Cada jugador escribe cuatro problemas de resta de horas en distintas tiras de papel.

Ejemplo:

2 h 15 min — 1 h 20 min =

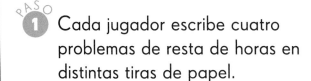

PASO 2 Los jugadores colocan los problemas en una bolsa.

2 h 15 min – 1 h 20 min = 55 min

PASO 3 El jugador 1 saca un problema de la bolsa y lo resuelve.

¡Lo resolví bien!

PASO 4 Los otros jugadores comprueban el resultado. El jugador 1 recibe un punto por cada resultado correcto.
El jugador que lo haga más rápido en cada ronda también recibe un punto adicional.

PASO 5 Los jugadores se turnan. Juega cuatro rondas.

¡El jugador con más puntos gana!

Practiquemos

Resta.

1 12 h 35 min — 7 h 10 min = [ ] h [ ] min

2 15 h 40 min — 9 h 25 min = [ ] h [ ] min

3 3 h 20 min — 2 h 10 min = [ ] h [ ] min

4 5 h 15 min — 1 h 5 min = [ ] h [ ] min

[ ] ²3 h 20 min

Reagrupa.

5 3 h 20 min = 2 h [ ] min

6 8 h 25 min = [ ] h 85 min

7 5 h 15 min = [ ] h 75 min

8 2 h 30 min = [ ] h 90 min

[ ] 8 h ⁸⁵25 min

Resta.

9 5 h 38 min — 1 h 55 min

10 3 h 20 min — 1 h 45 min

11 9 h 15 min — 8 h 35 min

12 8 h 20 min — 6 h 24 min

13 3 h — 1 h 30 min

14 5 h 46 min — 55 min

POR TU CUENTA

**Ver Cuaderno de actividades B:
Práctica 4, págs. 157 a 158**

El tiempo transcurrido

Objetivo de la lección

- Hallar el tiempo transcurrido.

Vocabulario
tiempo transcurrido
línea cronológica

Aprende

Introducción a cómo hallar el tiempo transcurrido.

La práctica de fútbol de Tom comenzó a las 3:00 p.m.
Terminó a las 5:00 p.m.
¿Cuánto tiempo duró la práctica de fútbol?

Comienzo:

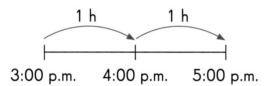

Fin:

La práctica de fútbol duró 2 horas.

El **tiempo transcurrido** es la cantidad de tiempo que ha pasado entre el comienzo y el fin de una actividad.

Anita comenzó a cenar a las 6:45 p.m.
Terminó a las 7:20 p.m.
¿Cuánto tiempo duró la cena?

Comienzo:

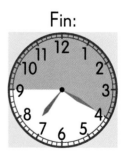

Fin:

15 min + 20 min = 35 min

Anita tardó 35 minutos en cenar.

Práctica con supervisión

Responde a cada pregunta.

1 ¿Qué hora es si pasaron 3 horas de las 7:00 p.m.?

2 ¿Qué hora es si pasaron 2 horas de las 7:15 p.m.?

3 ¿Cuántas horas hay entre las 9:00 a.m. y el mediodía?

4 ¿Cuántas horas hay entre las 2:30 p.m. y las 4:30 p.m.?

5 ¿Qué hora es si pasaron 15 minutos de las 11:00 a.m.?

6 ¿Qué hora es si pasaron 45 minutos de las 11:30 a.m.?

7 ¿Cuántos minutos hay entre las 11:50 a.m. y las 12:25 p.m.?

 Aprende

Halla el tiempo transcurrido en horas y minutos.

Rachel y Shannon fueron a una feria.
Llegaron a las 7:50 p.m. y se fueron a las 9:15 p.m.
¿Cuánto tiempo estuvieron en la feria?

FERIA DE LIBROS

 Llegaron:
7:50 p.m. o
10 minutos para las 8.

 Se fueron:
9:15 p.m. o
15 minutos después de las 9.

Puedes usar una **línea cronológica** para hallar el tiempo transcurrido.

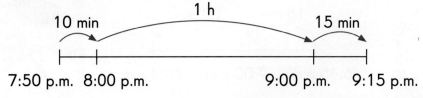

| 10 min | | 1 h | | 15 min |
| 7:50 p.m. | 8:00 p.m. | | 9:00 p.m. | 9:15 p.m. |

10 min + 1 h + 15 min   o   10 min + 15 min = 25 min
= 1 h 25 min   1 h + 25 min = 1 h 25 min

Estuvieron en la feria durante 1 hora y 25 minutos.

Práctica con supervisión

8 Kevin tuvo una fiesta de cumpleaños.
¿A qué hora llegaron los invitados?
¿A qué hora se fueron?
Observa los relojes. Completa las horas.
Usa las palabras después de o para las.

Llegaron: 25 minutos _____ 3,

o 2:35 p.m.

Se fueron: 20 minutos _____ las 5,

ó 5:20 p.m.

¿Cuánto duró la fiesta?

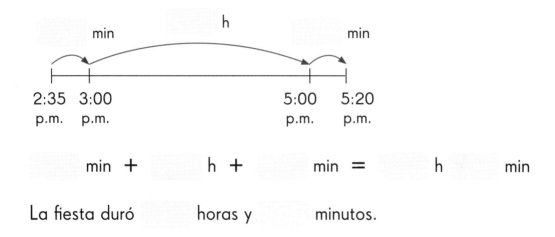

_____ min + _____ h + _____ min = _____ h _____ min

La fiesta duró _____ horas y _____ minutos.

Halla la hora del fin a partir de la hora del comienzo y el tiempo transcurrido.

Después de una fiesta, Emily limpia su casa.
Comienza a limpiar a las 10:30 p.m. y termina 1 hora y 45 minutos después.
¿A qué hora terminó de limpiar la casa?

Emily trabaja hasta después de la medianoche. Entonces, p.m. se convierte en a.m.

Cuenta las horas y los minutos desde las 12 a.m.

Continúa

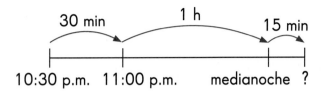

30 min	1 h	15 min

10:30 p.m. 11:00 p.m. medianoche ?

30 minutos después de las 10:30 p.m.
son las 11:00 p.m.
1 hora después de las 11:00 p.m. es la medianoche.
Entonces, la medianoche son las 12:00 a.m.
15 minutos después de la medianoche
son las 12:15 a.m.

Emily terminó de limpiar la casa a las 12:15 a.m.

Práctica con supervisión

Completa. Usa la línea cronológica como ayuda.

9 Taylor hace carteles para su familia.
Tarda 2 horas y 35 minutos en hacer los carteles.
Comenzó a hacerlos a las 10:10 a.m.
¿Cuándo terminó de hacerlos?

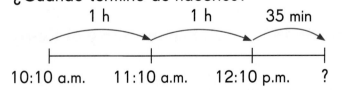

1 h	1 h	35 min

10:10 a.m. 11:10 a.m. 12:10 p.m. ?

2 horas después de las 10:10 a.m. son las 12:10 p.m.

35 minutos después de las 12:10 p.m. son las ⬚.

Terminó de hacerlos a las ⬚.

Taylor trabaja hasta
pasado el mediodía.
Entonces, a.m. se
convierte en p.m.

Halla la hora del comienzo a partir del tiempo transcurrido y la hora del fin.

Brooke estaba pintando un cartel. Terminó de pintarlo a las 3 p.m. Tardó 1 hora y 50 minutos en pintarlo. ¿Cuándo comenzó?

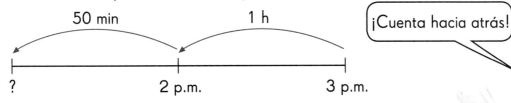

50 min   1 h

?   2 p.m.   3 p.m.

¡Cuenta hacia atrás!

1 hora antes de las 3 p.m. son las 2 p.m.
50 minutos antes de las 2 p.m. es la 1:10 p.m.
Brooke comenzó a pintar a la 1:10 p.m.

Comprueba:

50 minutos después de la 1:10 p.m. son las 2 p.m.
1 hora después de las 2 p.m. son las 3 p.m.

Práctica con supervisión

Completa usando la línea cronológica.

10 Jamal tardó 45 minutos en abrir sus regalos de cumpleaños.
Terminó de abrirlos a las 12:05 a.m.
¿A qué hora comenzó?

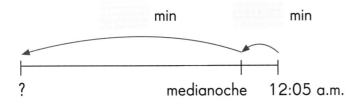

min   min

?   medianoche   12:05 a.m.

Jamal comenzó a abrir sus regalos a las _____ .

Manos a la obra

1 Forma grupos de 4 y túrnate para contar con tus compañeros la última vez que hiciste cada actividad. Incluye la hora en que crees que comenzaste y terminaste la actividad.

Leer un cuento

Jugar un juego

Almorzar

2 Escribe la hora en que comenzaste y terminaste de hacer cada actividad.

3 Traza una línea cronológica para cada actividad. Luego, halla el tiempo transcurrido.

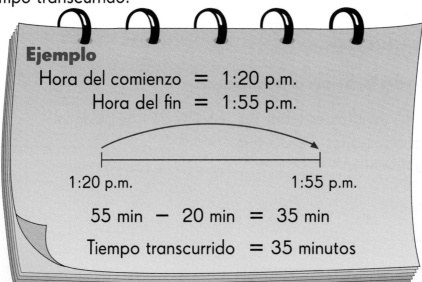

Ejemplo

Hora del comienzo = 1:20 p.m.

Hora del fin = 1:55 p.m.

1:20 p.m.   1:55 p.m.

55 min − 20 min = 35 min

Tiempo transcurrido = 35 minutos

4 Resuelve.

a ¿Quién tarda más tiempo en leer un cuento?

b ¿Quién tarda menos tiempo en almorzar?

c ¿Quién tarda menos tiempo en jugar un juego?

Practiquemos

Di qué hora será.

1 2 horas después de las 7:00 p.m.

2 3 horas después de las 2:45 a.m.

3 35 minutos después de las 9:00 p.m.

4 25 minutos después de las 8:50 a.m.

Halla cuánto tiempo ha pasado. Traza una línea cronológica como ayuda.

5 de las 5:45 p.m. a las 6:20 p.m.

6 de las 3:25 a.m. a las 4:10 a.m.

7 del mediodía a las 4:55 p.m.

8 de las 11:20 a.m. a las 2:35 p.m.

Resuelve.

9 Un tren sale de la ciudad P a las 7:30 a.m. Llega a la ciudad Q a las 11:45 a.m.
¿Cuánto duró el viaje?

10 Una película comienza a las 7:15 p.m. Dura 2 horas y 15 minutos.
¿A qué hora termina?

11 Un cocinero comienza a trabajar a las 8:45 a.m. Generalmente, trabaja durante 8 horas. Hoy, sale media hora antes.
¿A qué hora sale del restaurante?

12 El señor Williams tarda 2 horas y 40 minutos en conducir desde la ciudad A a la ciudad B. Llega a la ciudad B a las 2:25 p.m.
¿A qué hora salió de la ciudad A?

13 Sally terminó su caminata a las 4:35 p.m. Caminó durante 2 horas y 20 minutos. Tomó un descanso de 15 minutos durante la caminata.
¿A qué hora comenzó a caminar?

14 Una enfermera del hospital dio un medicamento a un paciente cada 4 horas, 4 veces al día. El paciente tomó la primera pastilla del día a las 9:30 a.m.
¿A qué hora debe tomar la última pastilla del día?

POR TU CUENTA
Ver Cuaderno de actividades B:
Práctica 5, págs. 159 a 162

Objetivos de la lección

- Leer un termómetro en grados Fahrenheit.
- Elegir el instrumento y la unidad apropiada para medir la temperatura.
- Usar un referente para estimar la temperatura.

Vocabulario

temperatura	termómetro
grados	Fahrenheit (°F)
frío	fresco
cálido	caliente

Aprende

Introducción a cómo medir la temperatura.

CALIENTE
212°F
El agua hierve.

CALIENTE
105°F
un día caliente

CÁLIDO
75°F
un día cálido

CÁLIDO
68°F
temperatura ambiente

FRESCO
50°F
un día fresco

FRÍO
32°F
Se congela el agua.

FRÍO
10°F
un día frío

Un **termómetro** se usa para medir la **temperatura**. Indica si algo está **frío** o **cálido**.

La temperatura se puede medir en **grados Fahrenheit** (°F).

La línea roja del termómetro es un líquido.

Se mueve hacia arriba cuando está cálido y hacia abajo cuando está **fresco**.

La temperatura se lee en el punto en que termina la línea roja. La temperatura que marca el termómetro es 80°F.

Práctica con supervisión

Halla cada temperatura e incluye la unidad. Luego, describe la temperatura según sea caliente, cálida, fresca o fría.

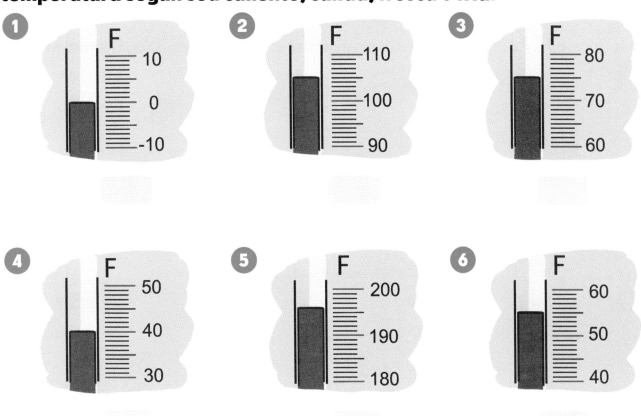

Decide qué temperatura se relaciona con cada actividad.

Practiquemos

Halla cada temperatura. Incluye la unidad.

Luego, describe la temperatura según sea caliente, cálida, fresca o fría.

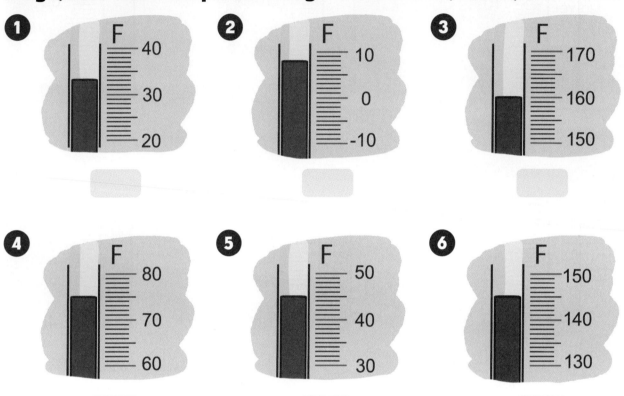

Decide qué temperatura se relaciona con la actividad.

7

60 °F   20 °F

POR TU CUENTA

Ver Cuaderno de actividades B:
Práctica 6, págs. 163 a 166

16.7 Problemas cotidianos: La hora y la temperatura

Objetivos de la lección

- Resolver problemas de hasta dos pasos sobre la hora.
- Resolver problemas sobre la temperatura.

Aprende

Resuelve problemas cotidianos de uno o dos pasos relacionados con la hora.

Rafael es guía turístico.
Hace recorridos de 45 minutos.
Le pagan $30 por hora.
El sábado hizo 8 recorridos.

a ¿Cuántas horas tardó Rafael en hacer los 8 recorridos el sábado?

b ¿Cuánto dinero ganó Rafael por los 8 recorridos?

a

1 recorrido	→	45 min
8 recorridos	→	8 × 45 min
	=	360 min
	=	6 h

$$\begin{array}{r} \overset{4}{4}\,5 \\ \times\quad 8 \\ \hline 3\,6\,0 \end{array}$$

1 h = 60 min
6 h = 6 × 60 min
Piensa en la tabla de multiplicación de 6.
6 × 6 = 36
Entonces, 6 × 60 = 360.

Rafael tardó 6 horas en hacer los 8 recorridos.

b

1 hora	→	$30
6 horas	→	6 × $30
	=	$180

6 × 3 = 18
6 × 30 = 180

Rafael ganó $180 por los 8 recorridos.

Práctica con supervisión

Resuelve.

1 Un tren hace varios recorridos turísticos de 45 minutos tres veces a la semana. Cada recorrido cuesta $13 por niño.

Recorrido turístico de 45 minutos en tren

Día	Lun	Mié	Vie
Número de recorridos	6	6	6
Duración de cada recorrido	45 min		

a ¿Cuántas horas y minutos funciona el tren los miércoles?

b ¿Cuánto cuesta un paseo de 90 minutos para 1 niño?

a ☐ ● ☐ = ☐ min

= ☐ h ☐ min

Los miércoles, el tren funciona durante ☐ horas y ☐ minutos.

b 45 min → $ ☐

90 min → ☐ ● $ ☐

= $ ☐

$$90 \text{ min} = 45 \text{ min} \times \boxed{}$$

Para un niño, un paseo de 90 minutos cuesta $ ☐.

2 Raúl tarda 1 hora y 40 minutos en hacer la tarea.
Luego, pasa otros 45 minutos practicando piano.
Termina de hacer la tarea y practicar piano a las 5:30 p.m.
¿A qué hora comenzó a hacer su tarea?

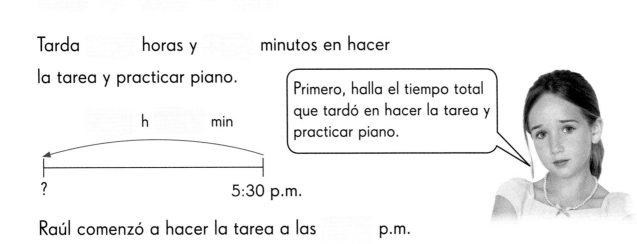

Tarda _____ horas y _____ minutos en hacer

la tarea y practicar piano.

Primero, halla el tiempo total que tardó en hacer la tarea y practicar piano.

Raúl comenzó a hacer la tarea a las _____ p.m.

3 Melissa llega a una estación de trenes.
Su reloj indica que son las 6:45 a.m.
Su reloj está atrasado 20 minutos.

a ¿Cuál es la hora real que muestra el reloj de la estación?

b El tren llega 10 minutos más tarde.
¿A qué hora llega el tren según el reloj de la estación?

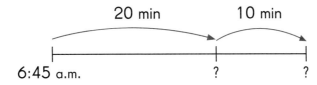

a 6:45 a.m. ⟩ + 20 min ⟩

La hora real que muestra el reloj de la estación es

b _____ a.m. ⟩ 10 min más tarde ⟩

Según el reloj de la estación, el tren llega a la estación a las

Resuelve problemas cotidianos relacionados con la temperatura.

Hoy la temperatura en las montañas es 65 °F.
Hoy la temperatura en el desierto es 130 °F.

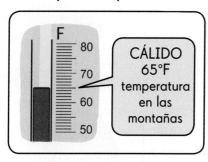

CÁLIDO
65°F
temperatura
en las
montañas

CALIENTE
130 °F
temperatura
en el
desierto

Halla la diferencia entre las temperaturas.

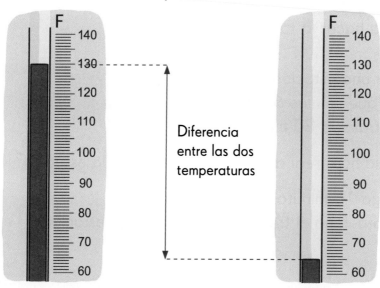

Diferencia
entre las dos
temperaturas

Cuenta hacia adelante.
La diferencia es 65 °F.

¿Preferirías estar en las
montañas o en el desierto?

Práctica con supervisión

Completa el cuento.
Usa los números que se muestran.

Las temperaturas máximas registradas ayer fueron _____ °F en un

desierto de Arizona y _____ °F en la Florida. La temperatura de Arizona

fue la más alta de las dos.

Por la noche, Arizona tuvo una temperatura mínima de _____ °F,

mientras que la mínima de la Florida fue _____ °F, _____ °F menos que

en Arizona.

Practiquemos

Resuelve.

1 Ken tarda 45 minutos en pintar una silla.
¿Cuánto tardaría en pintar 7 sillas semejantes?

2 Un reloj muestra que son las 11:40 a.m.
Está 35 minutos atrasado.
¿Cuál es la hora real?

3 Un reloj muestra que son las 3:10 p.m.
Está 25 minutos adelantado.
¿Cuál es la hora real?

4 Chris sale de la casa de su abuela a las 7:15 p.m.
Tarda 1 hora y 40 minutos en llegar a su casa.
¿A qué hora llegó a su casa?

5 Florence tarda 4 horas y 55 minutos en conducir desde la ciudad A a la ciudad B.
Llega a la ciudad B a las 4:45 p.m.
¿A qué hora salió de la ciudad A?

6 La señora Ramírez prepara comidas para ancianos.
Tarda 15 minutos en preparar cada comida.
Preparó 8 comidas.

a ¿Cuántas horas le tomó preparar las 8 comidas?

b ¿Cuántas comidas podría preparar en 3 horas?

7 Darryl condujo 1 hora y 35 minutos desde la ciudad A a la ciudad B.
Luego, condujo 2 horas y 45 minutos más desde la ciudad B a la ciudad C.
Llegó a la ciudad C a las 7:15 p.m.
¿A qué hora salió de la ciudad A?

8 Tonya fue a la escuela para ver el concierto de una banda.
Según su reloj, llegó a la escuela a las 7:15 p.m.
Su reloj estaba 30 minutos adelantado.

a ¿Cuál era la hora real?

b Llegó justo a tiempo para el concierto.
El concierto terminó a las 9:00 p.m.
¿Cuánto duró el concierto?

9 Cuando Max fue a acampar por la mañana, la temperatura era 67 °F.
Cuando regresó a su casa después de la cena, era 48 °F.
¿Es correcta la temperatura que muestra cada termómetro?

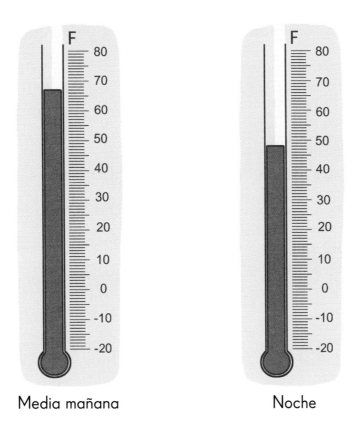

Media mañana   Noche

¿Estaba más fresco por la mañana o por la noche?
Explica tu respuesta.

10 Rachel se va de viaje.
En el lugar adonde va, hace 72 °F.
Describe el tipo de ropa que debe empacar.
Explica tu razonamiento.

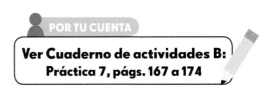

POR TU CUENTA
Ver Cuaderno de actividades B:
Práctica 7, págs. 167 a 174

Diario de matemáticas

1. Los pasos para hallar el tiempo transcurrido entre las 10:20 a.m. y la 1:30 p.m. no están ordenados. Colócalos en el orden correcto.

a Halla el tiempo transcurrido entre las 10:20 a.m. y las 11:00 a.m.

b Marca las horas entre los dos extremos.

c Suma los tiempos transcurridos.

d Halla el tiempo transcurrido entre las 11:00 a.m. y la 1:00 p.m.

e Halla el tiempo transcurrido entre la 1:00 p.m. y la 1:30 p.m.

f Marca la hora del comienzo y la hora del fin en la línea cronológica.

g Traza la línea cronológica.

PASO 1 ___   PASO 2 ___   PASO 3 ___   PASO 4 ___

PASO 5 ___   PASO 6 ___   PASO 7 ___

2. Halla el tiempo transcurrido entre la 1:15 p.m. y las 11:20 p.m. Determina si los pasos son iguales que en **1** y vuelve a escribir los pasos que son diferentes.

PASO 1 ___   PASO 2 ___   PASO 3 ___   PASO 4 ___

PASO 5 ___   PASO 6 ___   PASO 7 ___

DESTREZAS DE RAZONAMIENTO CRÍTICO
¡Ponte la gorra de pensar!

RESOLUCIÓN DE PROBLEMAS

1 Andrew toma un avión de Dallas a Chicago a las 8:15 a.m.
El vuelo tarda 3 horas y 40 minutos.
Hay vuelos de Chicago a Dallas cada 3 horas desde las 8:15 a.m.
Andrew quiere regresar a Dallas el mismo día.
¿Cuál es el último vuelo que puede tomar?

2 Completa el cuento. Usa los números dados.

| 86 | 43 | 32 | 8 |
| 11 | 5 | 78 | |

La temperatura máxima de ayer fue _____ grados Fahrenheit. Es la temperatura más alta de los últimos _____ días. La temperatura mínima fue _____ grados Fahrenheit, que fue aproximadamente la mitad de la máxima. Son solo _____ grados por encima de la temperatura de congelamiento (la cual es _____ grados Fahrenheit). Se predice que la temperatura de mañana será _____ grados Fahrenheit, lo cual es _____ grados menos que la máxima de ayer.

POR TU CUENTA

**Ver Cuaderno de actividades B:
¡Ponte la gorra de pensar!
págs. 175 a 176**

Resumen del capítulo

Guía de estudio
Has aprendido...

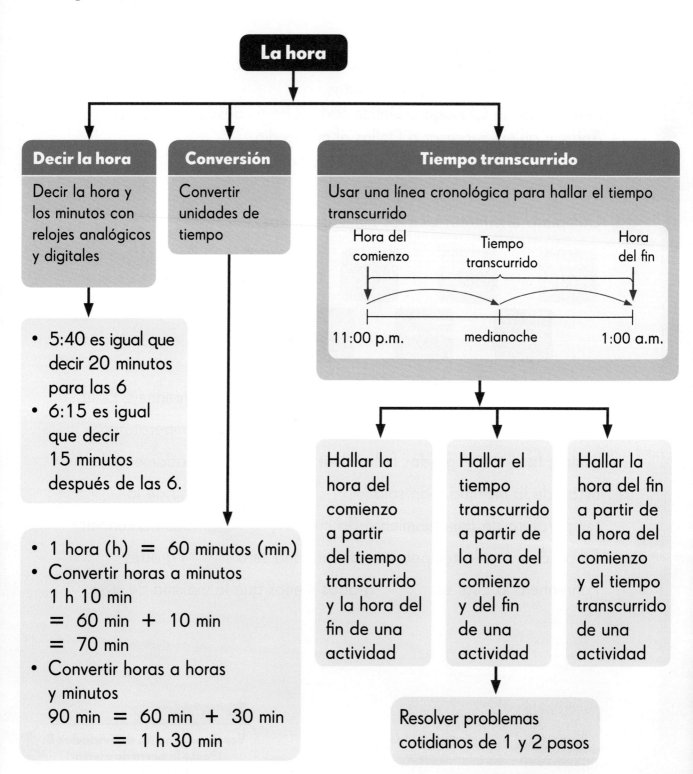

La hora

Decir la hora

Decir la hora y los minutos con relojes analógicos y digitales

- 5:40 es igual que decir 20 minutos para las 6
- 6:15 es igual que decir 15 minutos después de las 6.

Conversión

Convertir unidades de tiempo

- 1 hora (h) = 60 minutos (min)
- Convertir horas a minutos
  1 h 10 min
  = 60 min + 10 min
  = 70 min
- Convertir horas a horas y minutos
  90 min = 60 min + 30 min
        = 1 h 30 min

Tiempo transcurrido

Usar una línea cronológica para hallar el tiempo transcurrido

| Hora del comienzo | Tiempo transcurrido | Hora del fin |

11:00 p.m.   medianoche   1:00 a.m.

Hallar la hora del comienzo a partir del tiempo transcurrido y la hora del fin de una actividad

Hallar el tiempo transcurrido a partir de la hora del comienzo y del fin de una actividad

Hallar la hora del fin a partir de la hora del comienzo y el tiempo transcurrido de una actividad

Resolver problemas cotidianos de 1 y 2 pasos

IDEA IMPORTANTE

▶ La hora se puede usar para decir cuándo comienzan y terminan las actividades, o cuánto dura una actividad.

▶ La temperatura se puede usar para comprender cómo va a estar el tiempo.

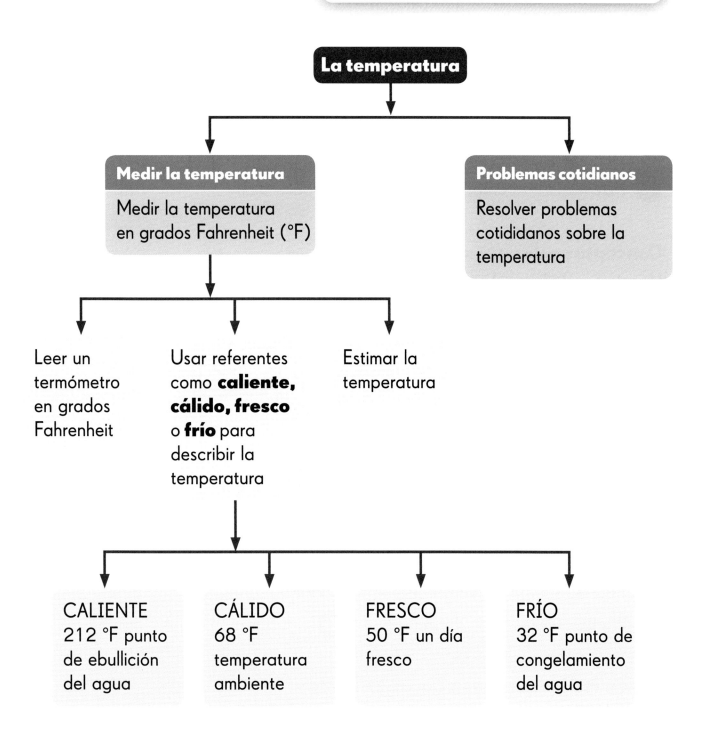

La temperatura

Medir la temperatura

Medir la temperatura en grados Fahrenheit (°F)

Problemas cotidianos

Resolver problemas cotididanos sobre la temperatura

Leer un termómetro en grados Fahrenheit

Usar referentes como **caliente, cálido, fresco** o **frío** para describir la temperatura

Estimar la temperatura

CALIENTE
212 °F punto de ebullición del agua

CÁLIDO
68 °F temperatura ambiente

FRESCO
50 °F un día fresco

FRÍO
32 °F punto de congelamiento del agua

Repaso/Prueba del capítulo

Vocabulario

Completa cada enunciado. Usa las palabras que se muestran.

1 La temperatura se mide en grados   .

2 La cantidad de tiempo que pasa entre una hora y otra se llama   .

3 Hay 24   en un día.

4   se usa para saber qué tanto calor o frío hace en un lugar.

5 Hay 45   entre las 7:30 p.m. y las 8:15 p.m.

> tiempo
> transcurrido
> Fahrenheit
> horas
> minutos
> termómetro

Conceptos y destrezas

Usa las palabras después de o para las para decir qué hora es.

6

7
8:52

Di qué hora es.

8 15 minutos después de las 11 es   .

9 10 minutos para las 3   .

Convierte las horas y minutos a minutos.

10 2 h 40 min =   min

11 3 h 5 min =   min

Convierte los minutos a horas y minutos.

12 305 min =   h   min

13 360 min =   h   min

Suma o resta.

14 4 h 50 min + 3 h 25 min

15 5 h 35 min − 3 h 55 min

Di qué hora es.

16 ¿Qué hora es 2 horas y 15 minutos después de las 7:15 p.m.?

17 ¿Qué hora es 3 horas y 40 minutos antes de las 10:05 a.m.?

Halla cada temperatura. Luego, describe si es caliente, cálido, fresco o frío.

18

F
— 30
— 20
— 10

_____ °F. Es _____.

19

F
— 100
— 90
— 80

_____ °F. Es _____.

Resolución de problemas
Resuelve.

20 Los sábados, Robert hace ejercicio desde las 7:10 a.m. hasta las 9:00 a.m. ¿Cuánto tiempo hace ejercicio?

21 Peter estudia durante 2 horas y 10 minutos.
Comenzó a las 6:15 p.m.
¿A qué hora terminó?

22 Una película terminó a la 1 p.m.
Duró 1 hora y 50 minutos.
¿A qué hora comenzó la película?

23 Un día a las 9 a.m., la temperatura en Tierra Nevada era 35 °F. Si la temperatura subió 2 grados cada media hora, ¿qué temperatura había a las 11 a.m.?

17

Ángulos y líneas

Lecciones

17.1 Comprender e identificar ángulos

17.2 Ángulos rectos

17.3 Líneas perpendiculares

17.4 Líneas paralelas

IDEA IMPORTANTE

▶ Estamos rodeados de ángulos y de líneas, y podemos identificarlos con nombres especiales.

Recordar conocimientos previos

Identificar líneas rectas y curvas

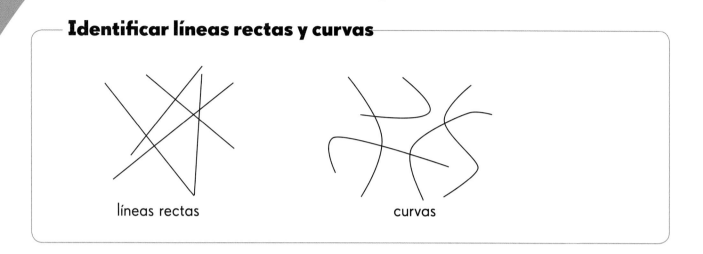

líneas rectas   curvas

✔ Repaso rápido

¿Cuáles son líneas rectas? ¿Cuáles son curvas?

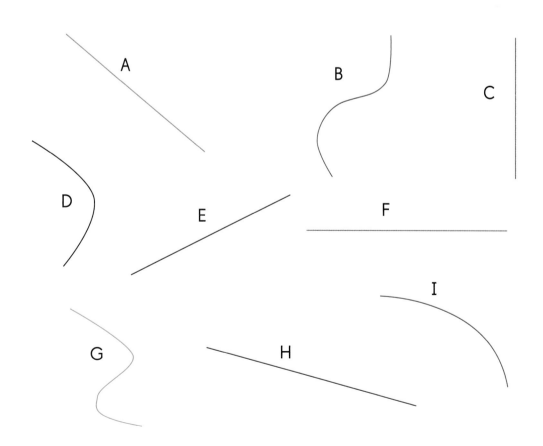

Comprender e identificar ángulos

Objetivos de la lección

- Hallar ángulos en figuras planas y en objetos cotidianos.
- Comparar el número de lados y ángulos de figuras planas.

Vocabulario

punto	ángulo
línea	extremo
segmento	

Identifica y nombra un punto, una línea y un segmento.

Un **punto** es una ubicación exacta en el espacio.

●
A

Este es el punto *A*. Escribe el punto *A* así: *A*.

Una **línea** es una trayectoria recta. Continúa sin fin en ambas direcciones, como muestran las puntas de flecha.

Esta línea atraviesa los puntos *A* y *B*.
Nómbrala línea *AB* o línea *BA*.

Un **segmento** es una línea recta. Tiene dos **extremos**.

Este segmento tiene dos extremos, *C* y *D*.

Nómbralo segmento *CD* o segmento *DC*.

Práctica con supervisión

Identifica cada figura como punto, línea o segmento. Luego, nombra cada una.

1 C, D

2 B

3 F, G

Halla el número de segmentos que hay en cada figura plana.

4

5

Aprende

Identifica un ángulo.

Cuando dos segmentos comparten el mismo extremo, forman un **ángulo**.

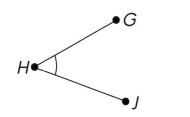

G

H

J

Traza una curva para marcar el ángulo.

Este ángulo está formado por dos segmentos: *HG* y *HJ*.
Los dos segmentos tienen el mismo extremo *H*.

¿Puedes hacer un ángulo con el brazo como hace Andrew?

Observa los pares de palitos planos.

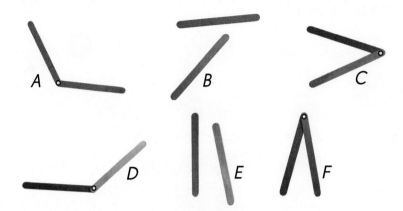

6 ¿Cuáles pares forman un ángulo?

7 ¿Cuáles pares no forman un ángulo?

¿Cuáles pares forman un ángulo?

8

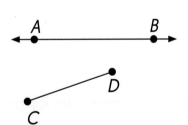

9

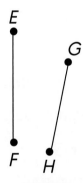

10

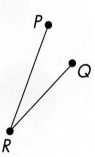

11

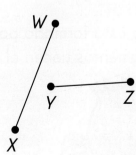

Halla ángulos en figuras planas y en objetos cotidianos.

Observa el cuadrado y el triángulo.

 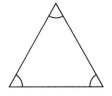

En una figura plana, dos lados se cruzan en un vértice y forman un ángulo.

El cuadrado tiene cuatro lados.
El triángulo tiene tres lados.

Estos son algunos ejemplos de ángulos que se hallan en objetos.

En un objeto, dos lados se cruzan en un vértice y forman un ángulo.

¿Puedes hallar ángulos en tu entorno?

Práctica con supervisión

Halla el número de ángulos que hay en cada figura plana.

 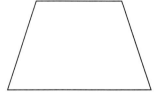

Halla el número de ángulos que hay en cada caso.

Compara el número de lados y de ángulos de una figura plana.

El triángulo tiene tres lados y tres ángulos.

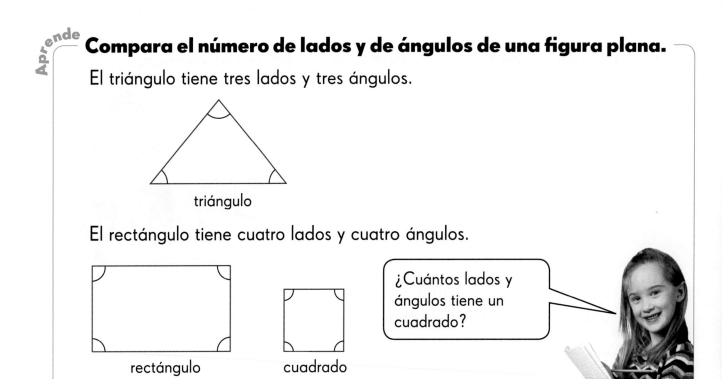

triángulo

El rectángulo tiene cuatro lados y cuatro ángulos.

rectángulo   cuadrado

¿Cuántos lados y ángulos tiene un cuadrado?

Práctica con supervisión

Completa.

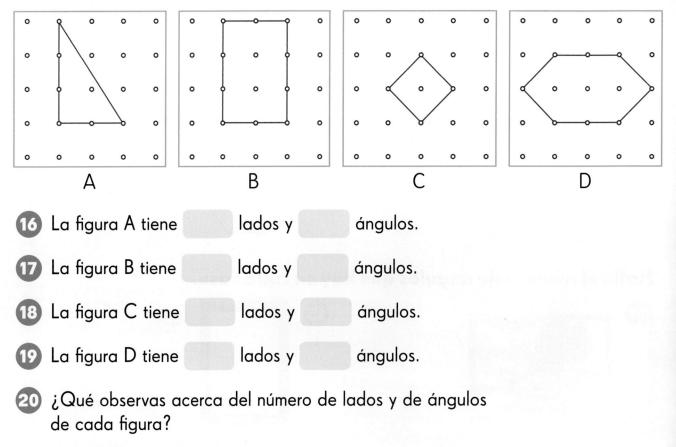

A   B   C   D

16 La figura A tiene ⬜ lados y ⬜ ángulos.

17 La figura B tiene ⬜ lados y ⬜ ángulos.

18 La figura C tiene ⬜ lados y ⬜ ángulos.

19 La figura D tiene ⬜ lados y ⬜ ángulos.

20 ¿Qué observas acerca del número de lados y de ángulos de cada figura?

Manos a la obra

PASO 1 Traza
- una figura de 3 lados
- una figura de 4 lados
- una figura de 5 lados
- una figura de 6 lados

PASO 2 Marca y colorea los ángulos de cada figura.

PASO 3 Copia y completa la tabla para mostrar el número de ángulos que hay en cada figura.

Hoja de anotaciones	
Tipo de figura	Número de ángulos
De 3 lados	
De 4 lados	
De 5 lados	
De 6 lados	

También puedes hacer esta actividad con la herramienta de dibujo de tu computadora para trazar las figuras.

Luego, imprime las figuras y haz el **PASO 2** y el **PASO 3** .

Exploremos

Haz triángulos con la geotabla.

Ejemplo

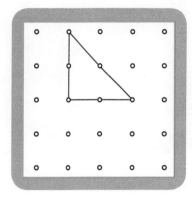

Los triángulos deben ser todos diferentes.

1 Haz cinco triángulos diferentes. ¿En qué se diferencian?

2 ¿Cuántos lados y ángulos tiene cada triángulo?

3 ¿Qué puedes decir acerca del número de lados y de ángulos que hay en un triángulo?

Haz rectángulos con la geotabla.

Los rectángulos deben ser todos diferentes.

4 Haz cinco rectángulos diferentes. ¿En qué se diferencian?

5 ¿Cuántos lados y ángulos tiene cada rectángulo?

6 ¿Qué puedes decir acerca del número de lados y de ángulos que hay en un rectángulo?

Nombra cada figura como punto, línea o segmento.

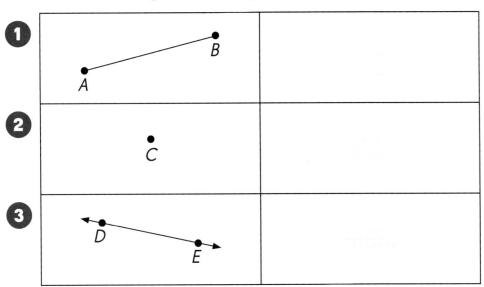

1	A •———• B	
2	• C	
3	D ←•———•→ E	

Determina si cada par de palitos planos forma un ángulo.

4 　　**5** 　　**6** 　　**7**

Halla el número de ángulos que hay en cada caso.

8 　　**9** 　　**10**

Completa los espacios en blanco con abanico, caja o tijeras.

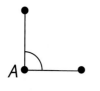
A

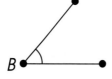
B

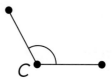
C

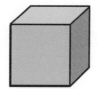

11 El ángulo *A* tiene aproximadamente el mismo tamaño que el ángulo de ____ .

12 El ángulo *B* tiene aproximadamente el mismo tamaño que el ángulo de ____ .

13 El ángulo *C* tiene aproximadamente el mismo tamaño que el ángulo del ____ .

Cuenta el número de lados y de ángulos de cada figura.

14

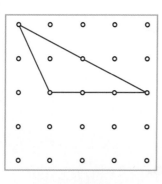

____ lados

____ ángulos

15

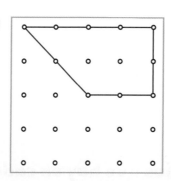

____ lados

____ ángulos

16

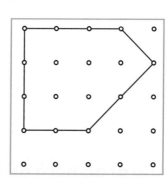

____ lados

____ ángulos

POR TU CUENTA

Ver Cuaderno de actividades B:
Práctica 1, págs. 177 a 182

17.2 Ángulos rectos

Objetivos de la lección

- Hacer un ángulo recto.
- Comparar ángulos con un ángulo recto.
- Identificar ángulos rectos en figuras planas.

Aprende

Haz un ángulo recto y compáralo con otros ángulos.

María dobló una hoja de papel dos veces para hacer un ángulo como este:

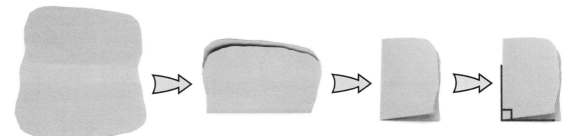

El vértice del papel doblado es un **ángulo recto**.

El símbolo que representa el ángulo recto es └┐ .

Puedes comprobar si un ángulo es recto y marcarlo como se muestra a continuación:

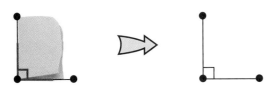

También puedes usar 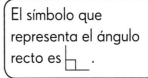 para comprobar si otros ángulos son mayores o menores que un ángulo recto.

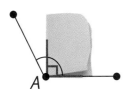

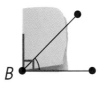

El ángulo A es **mayor que** un ángulo recto porque éste cabe dentro del ángulo A.

El ángulo B es **menor que** un ángulo recto.

Práctica con supervisión

Compara los ángulos. Usa **como ayuda.**

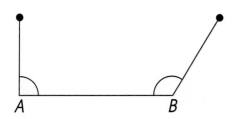 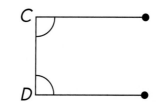 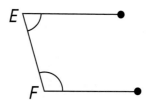

1 ¿Cuáles ángulos tienen la misma medida que los ángulos rectos? Los ángulos

2 ¿Cuáles ángulos son mayores que los ángulos rectos? Los ángulos

3 ¿Cuál ángulo es menor que un ángulo recto? El ángulo

 Manos a la obra

Materiales:
- papel de dibujo
- ganchos
- tiras de papel rotuladas 1 y 2

PASO 1 Toma un conjunto de tiras y pega la tira 2 sobre el papel de dibujo. Sujeta la tira 1 y la tira 2 con un gancho, de manera que solo la tira 1 se mueva.

PASO 2 Gira la tira 1 y forma un ángulo como se muestra a continuación.

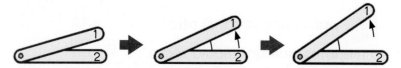

PASO 3 Usa las tiras para hacer
- un ángulo recto.
- un ángulo menor que un ángulo recto.
- un ángulo mayor que un ángulo recto.
- un ángulo que mida aproximadamente el doble que un ángulo recto.

Halla ángulos rectos en figuras planas.

Este es un cuadrado. Los lados de un cuadrado se cruzan y forman ángulos rectos.

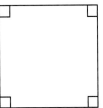

Hay cuatro ángulos rectos en un cuadrado.

Práctica con supervisión

Halla el número de ángulos rectos que hay en cada figura. Usa
como ayuda.

④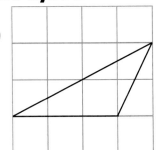

⑤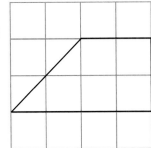

⑥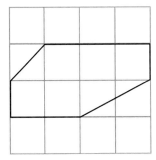

 Manos a la obra

Haz figuras con la geotabla. Luego, traza las figuras en papel cuadriculado.

Materiales:
- una geotabla
- elásticos
- papel cuadriculado

① Haz tu propia figura de siete lados y por lo menos, un ángulo recto.
¿Cuántos ángulos son mayores que un ángulo recto?
¿Cuántos ángulos son menores que un ángulo recto?
¿Cuántos ángulos tienen la misma medida que los ángulos rectos?

② Haz una figura que tenga un ángulo recto, dos ángulos menores que un ángulo recto y un ángulo mayor que un ángulo recto.

③ Haz una figura que tenga un ángulo recto, dos ángulos mayores que un ángulo recto y un ángulo menor que un ángulo recto.

Practiquemos

Determina si cada ángulo es mayor que, igual que o menor que un ángulo recto.

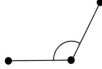

Halla el número de ángulos rectos que hay en cada figura plana.

Usa **como ayuda.**

Halla el número de ángulos menores que un ángulo recto.

Usa **como ayuda.**

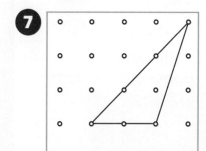

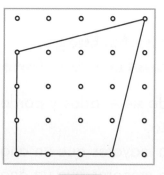

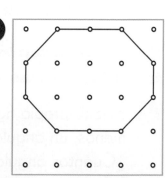

Traza la figura en papel cuadriculado.

10 Traza una figura de cuatro lados que tenga un ángulo mayor que un ángulo recto y un ángulo menor que un ángulo recto.

POR TU CUENTA

Ver Cuaderno de actividades B:
Práctica 2, págs. 183 a 184

17.3 Líneas perpendiculares

Objetivo de la lección

- Definir e identificar líneas perpendiculares.

Vocabulario
líneas perpendiculares

es perpendicular a

Aprende Identifica líneas perpendiculares.

Las líneas que se muestran a continuación son segmentos perpendiculares.

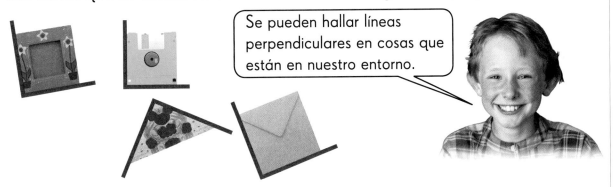

Se pueden hallar líneas perpendiculares en cosas que están en nuestro entorno.

¿Qué son las líneas perpendiculares?

Las **líneas perpendiculares** son dos líneas que se cruzan en ángulos rectos.

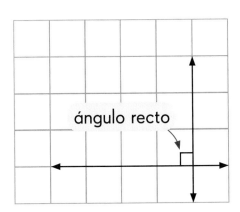

ángulo recto

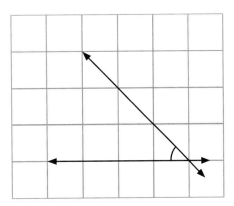

Estas dos líneas son perpendiculares. Se cruzan en ángulos rectos.

Estas dos líneas no son perpendiculares. No se cruzan en ángulos rectos.

Continúa

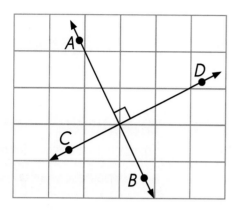

La línea *AB* y la línea *CD* se cruzan en ángulos rectos. La línea *AB* **es perpendicular a** la línea *CD*.

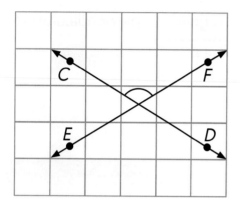

¿La línea *CD* es perpendicular a la línea *EF*?

No.
Las líneas no se cruzan en ángulos rectos. La línea *CD* no es perpendicular a la línea *EF*.

¿Cómo puedes comprobar si las líneas son perpendiculares?

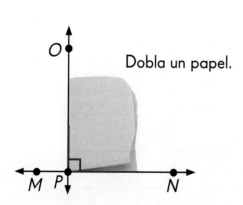

Dobla un papel.

Apoya el papel doblado sobre las dos líneas como se muestra en la figura. Las líneas se cruzan en un ángulo recto. Por tanto, la línea *OP* es perpendicular a la línea *MN*.

Usa una regla.

Apoya una regla sobre las dos líneas como se muestra en la figura. Las líneas se cruzan en un ángulo recto. Por tanto, la línea *UV* es perpendicular a la línea *ST*.

Práctica con supervisión

Indica si las líneas son perpendiculares.

1
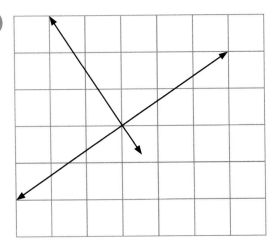

2
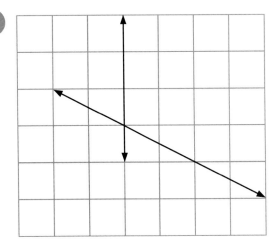

Halla líneas perpendiculares.

3 ¿Cuál línea es perpendicular a la línea *AB*?

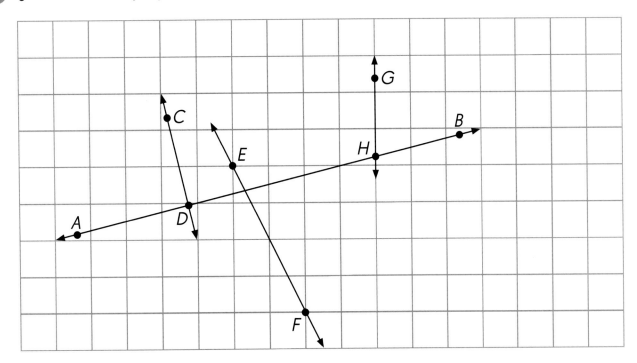

_____ es perpendicular a la línea *AB*.

4 Observa los pares de segmentos perpendiculares de esta caja.

¿Cuántos pares más de segmentos perpendiculares puedes hallar?

Copia las líneas perpendiculares en una hoja de papel cuadriculado.

5

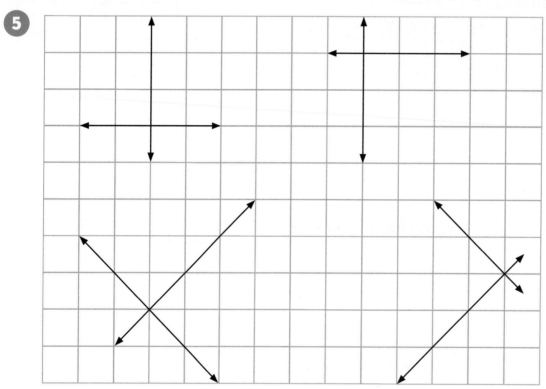

6 Halla pares de segmentos perpendiculares en cada caso.

Manos a la obra

TRABAJAR EN GRUPO

PASO 1 Observa tu salón de clases y tu escuela.

PASO 2 Halla objetos con segmentos perpendiculares y objetos sin segmentos perpendiculares.

PASO 3 Usa un papel doblado o una regla para comprobar los segmentos.

PASO 4 Registra los objetos y lugares en tablas.

Con segmentos perpendiculares	Lugares donde hallé los objetos
bancos	pasillos

Sin segmentos perpendiculares	Lugares donde hallé los objetos
ramas de plantas	patio de la escuela

PASO 5 Compara tus objetos con los que hallaron otros grupos.

Practiquemos

Indica si las líneas son perpendiculares.

1
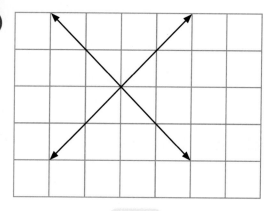

2
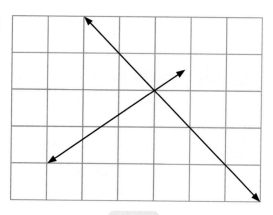

Identifica los segmentos perpendiculares de cada figura.

3
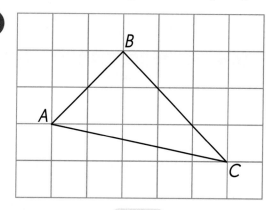

4
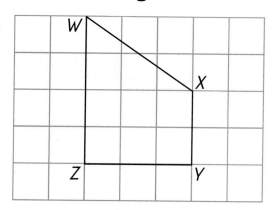

Halla dos pares de segmentos perpendiculares en cada caso.

5
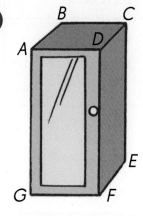

6
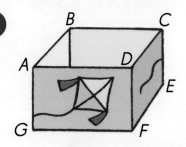

POR TU CUENTA

Ver Cuaderno de actividades B:
Práctica 3, págs. 185 a 188

Lección 17.4 Líneas paralelas

Objetivo de la lección

- Definir e identificar líneas paralelas.

Aprende

Identifica líneas paralelas.

Puedes hallar segmentos paralelos en objetos que te rodean.

Las **líneas paralelas** son dos líneas que no se cruzan, sin importar su longitud.
La distancia entre ellas es siempre la misma.

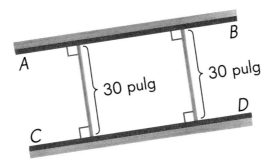

AB y *CD* son un par de segmentos paralelos.

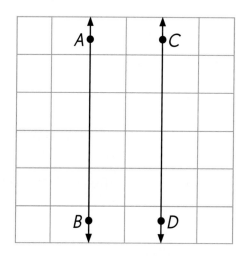

Las líneas *AB* y *CD* son paralelas.
La línea *AB* **es paralela a** la línea *CD*.

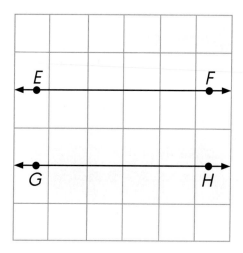

Las líneas *EF* y *GH* son paralelas.
La línea *EF* es paralela a la línea *GH*.

Observa las líneas trazadas en la cuadrícula.

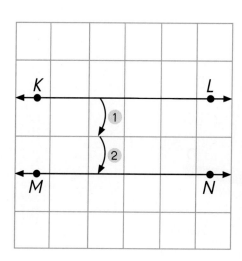

Las líneas *KL* y *MN* son paralelas. Puedes usar una regla y trazarlas de esta manera, de izquierda a derecha.

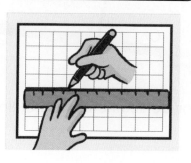

¿Qué distancia hay entre las líneas?

Cuenta el número de unidades cuadradas que hay entre las líneas.

La línea *KL* siempre está a 2 unidades cuadradas de la línea *MN*.
Por tanto, la línea *KL* es paralela a la línea *MN*.

La línea *OP* siempre está a 2 unidades cuadradas de la línea *QR*.
Por tanto, la línea *OP* es paralela a la línea *QR*.

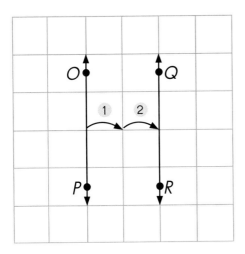

Las líneas *OP* y *QR* son paralelas.
Puedes trazarlas con una regla de arriba hacia abajo, de esta forma.

Continúa

¿Las líneas *ST* y *UV* están siempre a la misma distancia?

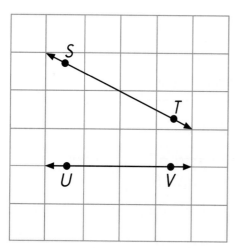

No.

El punto *S* está a 3 unidades cuadradas del punto *U*.

El punto *T* está a 1 unidad cuadrada del punto *V*.

La distancia entre las líneas no es igual.

Las líneas *ST* y *UV* no son paralelas entre sí.

¿Las líneas *PQ* y *MN* son paralelas?

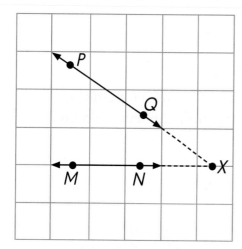

No.

Si trazas una línea punteada para alargar las líneas *PQ* y *MN*, como se muestra en la figura, ellas se cruzarán en el punto *X*.

La distancia entre las líneas no es igual.

Las líneas *PQ* y *MN* no son paralelas entre sí.

Práctica con supervisión

Halla líneas paralelas.

¿Cuáles pares de líneas son paralelas?

 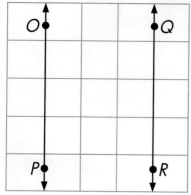 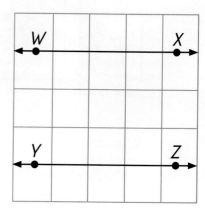

2 Nombra los pares de segmentos paralelos de cada figura.

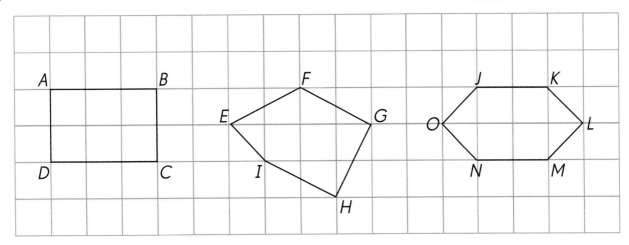

3 Halla pares de segmentos paralelos en cada caso.

Copia las líneas paralelas en papel cuadriculado.

4

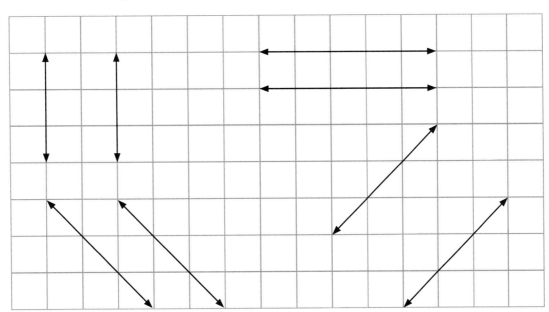

 **Manos a la obra**

TRABAJAR EN GRUPO

PASO 1 Observa tu salón de clases y tu escuela.

PASO 2 Halla objetos que tengan segmentos paralelos y objetos que no tengan segmentos paralelos.

PASO 3 Registra los objetos y lugares en tablas.

Con segmentos paralelos	Lugares donde hallé los objetos
bancos	pasillos

Sin segmentos paralelos	Lugares donde hallé los objetos
ramas de plantas	patio de la escuela

PASO 4 Compara tus objetos con los que hallaron otros grupos.

Practiquemos

Indica si las líneas son paralelas.

1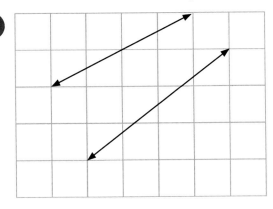

2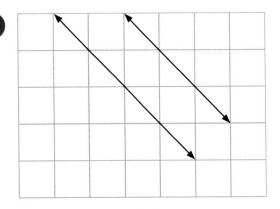

Identifica los segmentos paralelos de cada figura.

3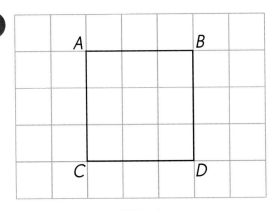

4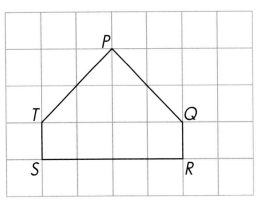

Halla dos pares de segmentos paralelos en cada caso.

5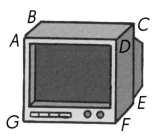

6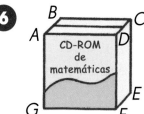

POR TU CUENTA

Ver Cuaderno de actividades B:
Práctica 4, págs. 189 a 194

¡Ponte la gorra de pensar!

RESOLUCIÓN DE PROBLEMAS

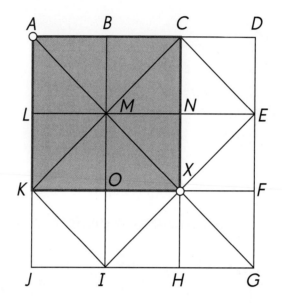

1. Identifica tres pares de segmentos perpendiculares en el diagrama.

2. Estás parado en *X*. Quieres ir a *A*.
   ¿Cuál es el camino más corto para llegar a *A*?

3. ¿Hay algún segmento perpendicular al camino más corto? Menciona dos.

4. Halla tres caminos de *X* a *A* que estén dentro del área sombreada. Cada camino debe estar compuesto por uno o más pares de segmentos perpendiculares.

Usa cinco palitos planos para hacer una figura que tenga cuatro pares de segmentos paralelos y cuatro pares de segmentos perpendiculares.

5. ¿Qué figura obtienes?

RESOLUCIÓN DE PROBLEMAS

Recorta las siete piezas de un tangrama.

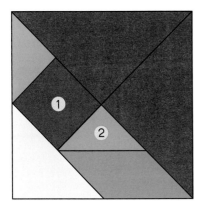

Un tangrama es un rompecabezas chino de siete piezas que pueden ordenarse para formar un cuadrado.

6 La figura que aparece a continuación está compuesta por dos piezas de un tangrama. Tiene dos ángulos rectos, un ángulo menor que un ángulo recto y un ángulo mayor que un ángulo recto.

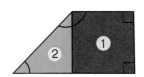

Ahora, forma dos figuras más que tengan dos ángulos rectos, un ángulo menor que un ángulo recto y un ángulo mayor que un ángulo recto cada una. Para hacerlo usa:

a tres piezas de tangrama.

b cuatro piezas de tangrama.

7 Ordena seis piezas del tangrama para formar una figura que tenga tres ángulos rectos y dos ángulos mayores que un ángulo recto.

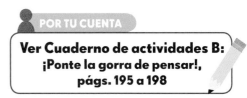

POR TU CUENTA

Ver Cuaderno de actividades B: ¡Ponte la gorra de pensar!, págs. 195 a 198

Resumen del capítulo

Guía de estudio
Has aprendido...

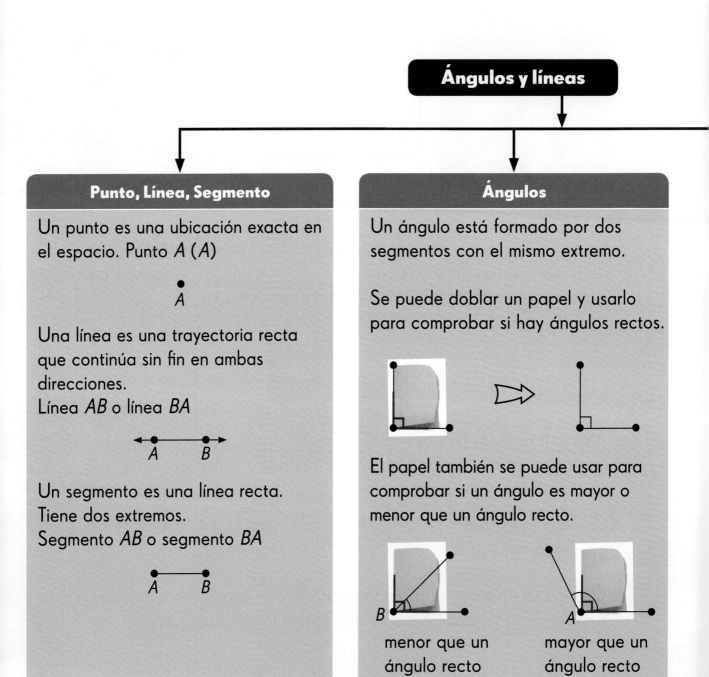

Ángulos y líneas

Punto, Línea, Segmento

Un punto es una ubicación exacta en el espacio. Punto *A* (*A*)

•
A

Una línea es una trayectoria recta que continúa sin fin en ambas direcciones.
Línea *AB* o línea *BA*

A   *B*

Un segmento es una línea recta. Tiene dos extremos.
Segmento *AB* o segmento *BA*

A   *B*

Ángulos

Un ángulo está formado por dos segmentos con el mismo extremo.

Se puede doblar un papel y usarlo para comprobar si hay ángulos rectos.

El papel también se puede usar para comprobar si un ángulo es mayor o menor que un ángulo recto.

B   *A*

menor que un ángulo recto   mayor que un ángulo recto

IDEA IMPORTANTE

▶ Estamos rodeados de ángulos y líneas, y podemos identificarlos con nombres especiales.

Líneas y segmentos perpendiculares

Las líneas y los segmentos perpendiculares se cruzan en ángulos rectos.

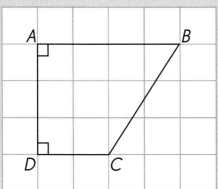

Segmentos perpendiculares:
Segmentos *AB* y *AD*
Segmentos *AD* y *DC*

Líneas y segmentos paralelos

Las líneas y los segmentos paralelos no se cruzan, sin importar su longitud. La distancia entre ellos es siempre igual.

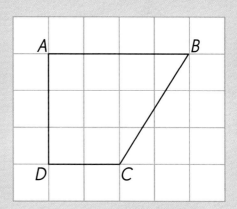

Segmentos paralelos:
Segmentos *AB* y *DC*

Repaso/Prueba del capítulo

Vocabulario

Elige la palabra correcta.

1 ⬜ no tiene extremos.

2 Las ⬜ no se cruzan, sin importar su longitud.

3 ⬜ se forma cuando dos segmentos se cruzan en un punto y son perpendiculares entre sí.

4 Dos líneas que se cruzan en un ángulo recto se llaman ⬜.

> línea
> segmento
> ángulo recto
> líneas perpendiculares
> líneas paralelas

Conceptos y destrezas

5 ¿Cuál de estos pares de palitos forma un ángulo? ⬜

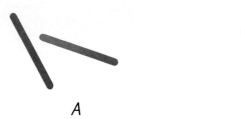

A   B

Halla el número de ángulos que hay en cada objeto o figura.

6

ESCUELA

⬜

7
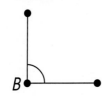

⬜

8 ¿Cuáles ángulos tienen la misma medida que los ángulos rectos? Los ángulos ⬜

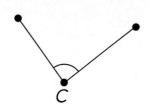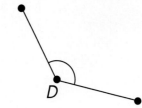

A   B   C   D

9 Halla el número de lados y ángulos de la figura.

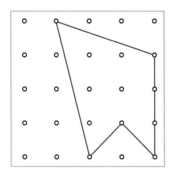

_____ lados _____ ángulos

10 Identifica los segmentos perpendiculares. _____

11 Identifica los segmentos paralelos. _____

Resolución de problemas

12 Estás caminando por una calle paralela a la calle Arcos.

¿Por cuál calle caminas? _____

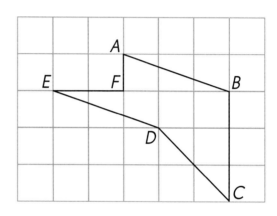

Figuras bidimensionales

Esta es la Casa Blanca. Hay muchas figuras planas en este edificio.

Sí, puedo ver rectángulos y triángulos.

Si trazo una línea recta que atraviese el centro del edificio de arriba abajo, obtendré dos partes exactamente iguales.

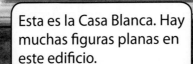

Lecciones

IDEA IMPORTANTE

▶ Los polígonos se pueden clasificar según el número de lados, vértices y ángulos. Las figuras pueden ser congruentes o simétricas, o ambas.

Recordar conocimientos previos

Contar el número de lados, vértices y ángulos de las figuras planas

Figura plana	Número de lados	Número de vértices	Número de ángulos
círculo	0	0	0
triángulo	3	3	3
cuadrado	4	4	4
rectángulo	4	4	4
trapecio	4	4	4
hexágono	6	6	6

Combinar figuras planas para formar otras figuras planas

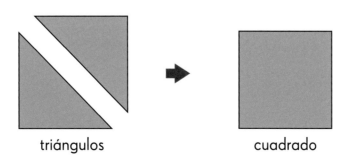

triángulos   cuadrado

Se pueden combinar dos triángulos para formar un cuadrado.

Descomponer figuras planas en figuras planas más pequeñas

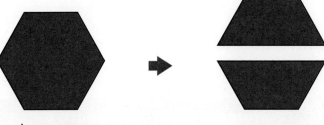

hexágono   trapecios

Un hexágono está formado por dos trapecios.

Dibujar figuras en papel punteado y en papel cuadriculado

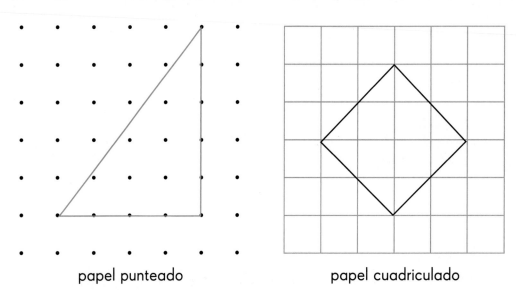

papel punteado   papel cuadriculado

Identificar ángulos en figuras

En una figura, cada ángulo está formado por dos lados que se encuentran en un punto.

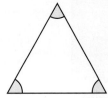

El triángulo tiene tres ángulos.

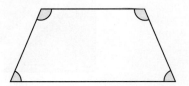

El trapecio tiene cuatro ángulos.

¿Qué figura soy?

1 Tengo 3 lados y 3 vértices.

2 Tengo 4 lados y 4 vértices.

¿Cuál figura obtienes cuando combinas dos ⬜ ?

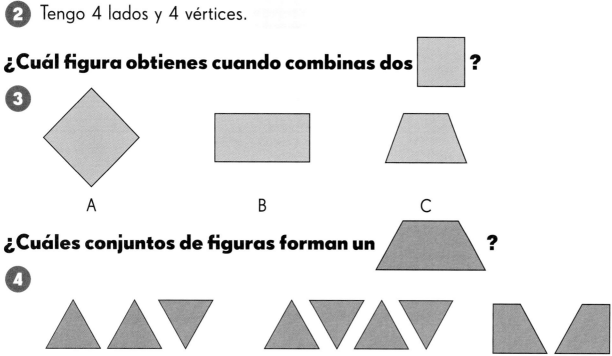

3

A   B   C

¿Cuáles conjuntos de figuras forman un ⬠ ?

4

A   B   C

Combina los triángulos pequeños para formar dos figuras planas diferentes.
Nombra las figuras.
Indica el número de triángulos que se usaron.

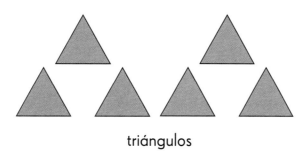

triángulos

5 Nombre:

Número:

6 Nombre:

Número:

Descompón el rectángulo en figuras planas más pequeñas de dos maneras diferentes. Nombra las figuras. Indica el número de figuras de cada tipo que se formaron.

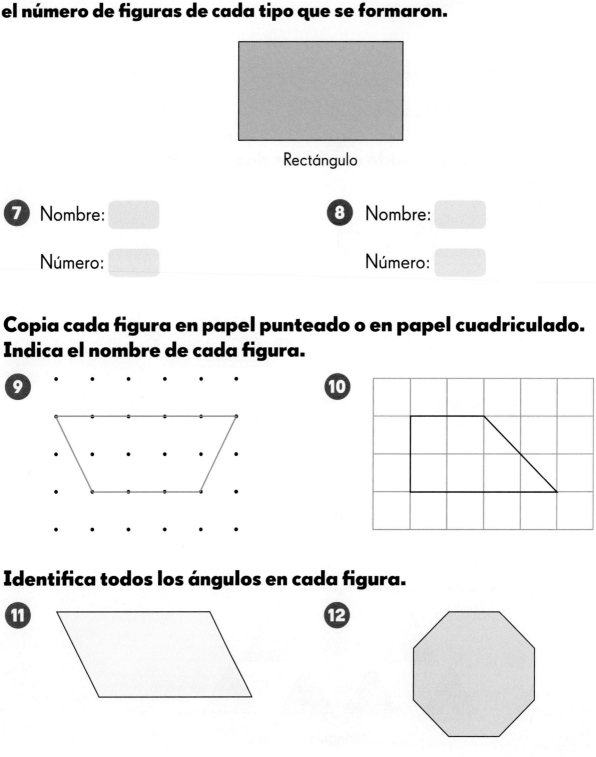

Rectángulo

7 Nombre:

Número:

8 Nombre:

Número:

Copia cada figura en papel punteado o en papel cuadriculado. Indica el nombre de cada figura.

9

10

Identifica todos los ángulos en cada figura.

11

12

Lección 18.1 Clasificar polígonos

Objetivos de la lección

- Identificar figuras abiertas y cerradas.
- Identificar polígonos y cuadriláteros especiales.
- Clasificar los polígonos según el número de lados, vértices y ángulos.
- Clasificar los cuadriláteros según los lados paralelos, la longitud de los lados y los ángulos.
- Combinar y descomponer los polígonos para formar otros polígonos.

Vocabulario

figura plana	vértice	paralelogramo
figura abierta	cuadrilátero	pentágono
figura cerrada	paralelo	octágono
polígono	rombo	tangrama

Aprende

Identifica figuras planas abiertas y cerradas.

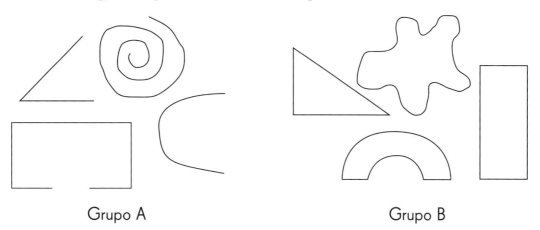

Grupo A   Grupo B

Compara los grupos A y B. ¿En qué se diferencian?
Las figuras del grupo A no comienzan y terminan en el mismo punto.
Son **figuras planas abiertas**.

Las figuras del grupo B comienzan y terminan en el mismo punto.
Son **figuras planas cerradas**.

Las **figuras planas** son figuras que no tienen volumen.
Tienen longitud y ancho. Pueden ser figuras abiertas o cerradas.

Práctica con supervisión

Indica si las figuras planas son cerradas o abiertas.

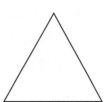

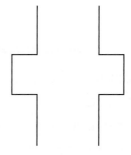

Identifica polígonos.

Las figuras planas cerradas se pueden colocar en dos grupos.

Grupo C

 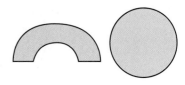

Grupo D

Compara los grupos C y D. ¿En qué se diferencian?

Las figuras del grupo C están formadas solo por segmentos.
Son **polígonos**.

Las figuras del grupo D no están formadas solo por segmentos.
No son polígonos.

> Un polígono es una figura plana cerrada formada por tres o más segmentos.

> Dos segmentos no se pueden encontrar para formar una figura cerrada. Entonces, dos segmentos no pueden formar un polígono.

Observa las figuras.
Luego, responde a la pregunta.

4 ¿Cuáles figuras son polígonos? Figuras

 A

 B

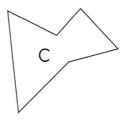 C

D

E

 F

🔍 **Exploremos**

Usa palitos planos. Forma las siguientes figuras.

1 Usa dos palitos y forma una figura.

2 Usa 5 palitos y forma dos figuras.
Una es cerrada y la otra, abierta.

3 Usa 6 palitos y forma dos figuras.
Una es cerrada y la otra, abierta.

¿Cuáles figuras son polígonos?
Dibújalas en un papel.

¿Cuáles figuras no son polígonos?
Dibújalas en un papel.

> Recuerda qué son las figuras abiertas y cerradas y los polígonos.

Identifica los polígonos especiales y sus nombres.

Los polígonos se pueden clasificar según el número de lados que tienen. Estos son algunos polígonos y sus nombres.

triángulo

rectángulo

cuadrado

pentágono

hexágono

octágono

¿Por qué piensas que son polígonos?

Los polígonos son figuras planas cerradas formadas por tres o más segmentos.

En un polígono, cada segmento se denomina "lado".
Dos lados de un polígono se encuentran en un punto denominado **vértice**.
Un ángulo está formado por dos lados que se encuentran en un vértice.

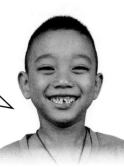

Entonces, una esquina es un vértice.

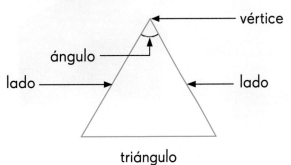

vértice

ángulo

lado — lado

triángulo

Práctica con supervisión

Identifica los ángulos. Rotula las partes de este pentágono.

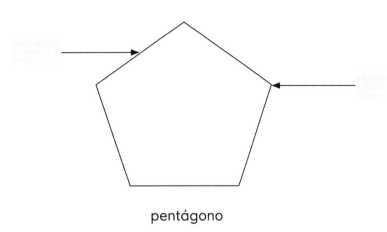

pentágono

Completa.

6 Cuenta el número de vértices.

7 Cuenta el número de lados.

8 Cuenta el número de ángulos.

Decide si cada enunciado es verdadero o falso.

9 Un octágono tiene ocho lados y ocho ángulos.

10 Un hexágono tiene siete vértices y seis lados.

11 Un cuadrado y un rectángulo tienen cuatro vértices y cuatro ángulos cada uno.

12 Todos los polígonos tienen cuatro lados.

Manos a la obra

TRABAJAR EN PAREJAS

Materiales:
• polígonos

1 Identifica los polígonos y halla el número de lados, ángulos y vértices.

Anota la información en la tabla.

Polígonos	Número de lados	Número de ángulos	Número de vértices

¿Qué puedes decir acerca del número de lados, ángulos y vértices de un polígono?

2 Camina por tu escuela o tu salón de clases.
Busca objetos que tengan las figuras enumeradas en la tabla.

Polígonos	Objetos
Triángulo	
Cuadrado	
Rectángulo	
Pentágono	
Hexágono	
Octágono	

Identifica cuadriláteros.

Estos son **cuadriláteros** .

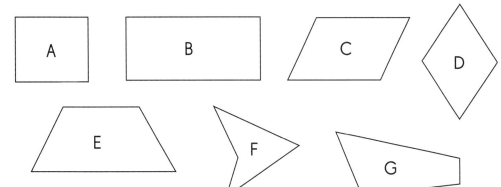

Los cuadriláteros son polígonos de 4 lados y 4 ángulos.

El contorno de la puerta es un cuadrilátero porque tiene 4 lados.

El contorno de un cuaderno es un cuadrilátero.

El contorno de un televisor, de una cometa y de una pizarra también es un cuadrilátero.

Práctica con supervisión

Elige los cuadriláteros.

13

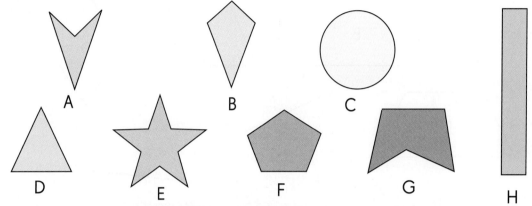

A B C

D E F G H

Decide si cada enunciado es **verdadero o falso.**

14 El contorno de una regla es un cuadrilátero.

15 El contorno de una tapa de botella es un cuadrilátero.

16 El contorno de una tarjeta postal es un cuadrilátero.

17 El contorno de un sobre es un cuadrilátero.

Aprende Identifica cuadriláteros y sus propiedades.

Algunos cuadriláteros tienen nombres especiales.
Se clasifican según

a los pares de lados que son paralelos.

b los lados que tienen la misma longitud.

c los ángulos que son ángulos rectos.

A

La figura A es un cuadrado.
Los lados opuestos de un cuadrado son
paralelos.
Todos los lados de un cuadrado tienen la
misma longitud.
Los 4 ángulos de un cuadrado son
ángulos rectos.

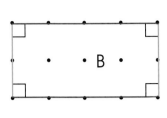

La figura B es un rectángulo.
Los lados opuestos de un rectángulo son paralelos.
Solo los lados opuestos de un rectángulo deben tener la misma longitud.
Los 4 ángulos de un rectángulo son ángulos rectos.

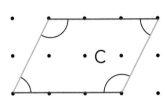

La figura C es un **paralelogramo**.
Los lados opuestos de un paralelogramo son paralelos.
Solo los lados opuestos de un paralelogramo deben tener la misma longitud.
Hay 4 ángulos en un paralelogramo.

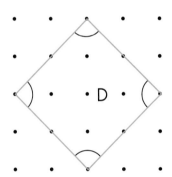

La figura D es un **rombo**.
Los lados opuestos de un rombo son paralelos.
Todos los lados de un rombo tienen la misma longitud.
Hay 4 ángulos en un rombo.

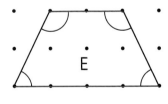
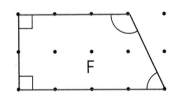

Las figuras E y F son trapecios.
Solo un par de lados opuestos son paralelos.
Hay 4 ángulos en un trapecio.
Un trapecio puede tener 2 ángulos rectos, como en la figura F.

Los cuadrados, los rectángulos, los paralelogramos y los rombos tienen dos pares de lados opuestos que son paralelos.

Puedo pensar en un rombo como un paralelogramo de cuatro lados que tienen la misma longitud.

 **Manos a la obra**

Materiales:
- una geotabla
- elásticos
- cuadrados de papel cuadriculado

TRABAJAR EN PAREJAS

Forma los cinco cuadriláteros con nombres especiales en la geotabla.

Luego, dibújalos en cuadrados de papel cuadriculado e identifícalos.

Túrnate con un compañero para formar un cuadrilátero.

Luego, dibújalo y nómbralo.

Ejemplo:

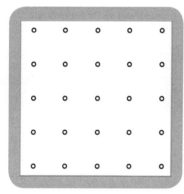

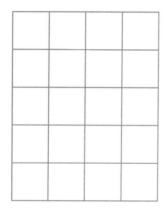

Comenta en qué se parecen y en qué se diferencian los cuadriláteros.

El rectángulo y el cuadrado se parecen en muchas cosas. ¿En qué se diferencian?

Se diferencian porque, en un rectángulo, solo los pares de lados opuestos deben tener la misma longitud. Todos los lados de un cuadrado tienen la misma longitud. Entonces, un cuadrado es un tipo especial de rectángulo.

Práctica con supervisión

Completa.

18 Identifica los rombos. Figura

19 Identifica los trapecios. Figuras

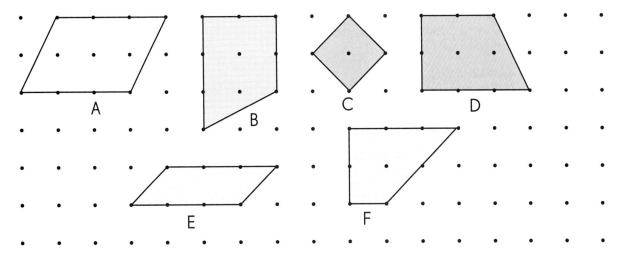

Completa los espacios en blanco.

20 Un rectángulo tiene   pares de lados paralelos,   pares de lados que tienen la misma longitud y   ángulos rectos.

21 Un rombo tiene   pares de lados paralelos,   lados que tienen la misma longitud y   ángulos.

22 Un trapecio tiene   par de lados paralelos y   ángulos. A veces, un trapecio tiene   ángulos rectos.

23 Un paralelogramo tiene   pares de lados paralelos,   pares de lados que tienen la misma longitud y   ángulos.

Decide si cada enunciado es verdadero o falso. Explica tu razonamiento.

24 Un paralelogramo no es un cuadrado.

25 Un cuadrado es un tipo especial de rectángulo.

26 Un rectángulo puede ser un cuadrado o no.

27 Un trapecio es un paralelogramo.

28 Un rectángulo tiene cuatro ángulos rectos.

29 Un rombo tiene cuatro lados iguales.

30 Un paralelogramo solo tiene un conjunto de lados paralelos.

Aprende

Combina y descompón polígonos.

Combina los polígonos de la izquierda para formar otros polígonos y figuras.

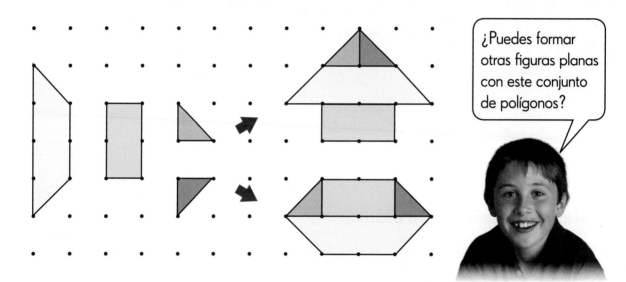

¿Puedes formar otras figuras planas con este conjunto de polígonos?

Descompón el polígono de la izquierda. Usa las partes para formar diferentes polígonos más pequeños.

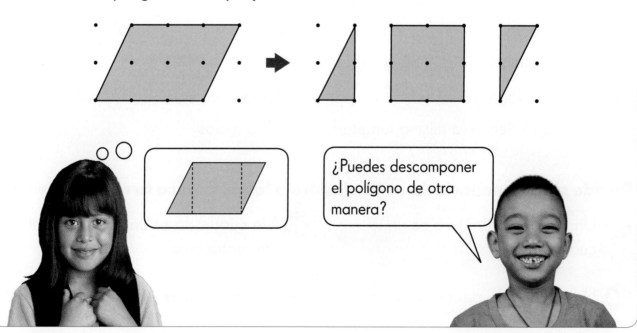

¿Puedes descomponer el polígono de otra manera?

 **Manos a la obra**

Materiales:
- una geotabla
- elásticos

TRABAJAR EN PAREJAS

1 Usa una geotabla y elásticos para formar figuras.
Usa dos o más de estos cuadriláteros:
cuadrado, rectángulo, paralelogramo, rombo y trapecio.
Enumera los polígonos que usaste para formar la figura.

Ejemplo:

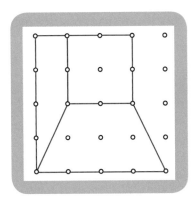

Polígonos que se usaron: cuadrado y trapecio

2 Este es un **tangrama**.
Está formado por 7 polígonos que se pueden agrupar para formar
un cuadrado.

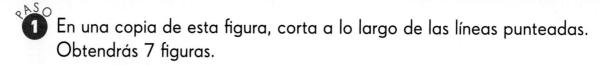

PASO 1 En una copia de esta figura, corta a lo largo de las líneas punteadas. Obtendrás 7 figuras.

PASO 2 Usa 3 ó 4 figuras para formar otros polígonos. Identifica cada polígono.

PASO 3 Pide a tu compañero que enumere las figuras que usaste. Luego, clasifica esas figuras.

PASO 4 Luego, uno de los dos compañeros forma una figura con las 7 partes.

PASO 5 El otro compañero descompone la figura y forma el cuadrado original con las 7 figuras.

Práctica con supervisión

Traza y recorta los polígonos para formar otros polígonos. Puedes usar más que uno de cada tipo de polígono.

31

32 **Halla cuántos polígonos hay en la figura. Enuméralos.**

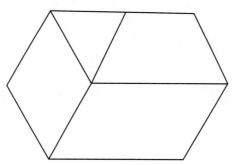

Practiquemos

Completa la tabla. Elige sí o no.

1

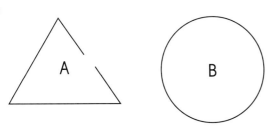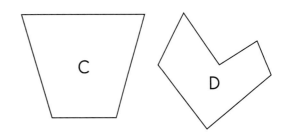

Propiedad	Figura A	Figura B	Figura C	Figura D
Es una figura cerrada.				
Hay 3 o más segmentos.				

Completa los espacios en blanco.

2 Las figuras _____ y _____ son polígonos.

Completa la tabla.

3

Figuras	Nombre	Número de lados	Número de ángulos	Número de vértices
			3	3
		4		
	Pentágono		5	5
		6	6	
				8

Resuelve.

4 Soy un polígono. Tengo 1 vértice más que un cuadrado. ¿Qué soy? [____]

5 En esta figura, dibuja un polígono para formar un octágono.

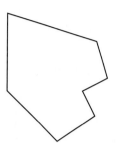

6 Traza líneas punteadas para dividir la figura en polígonos más pequeños. Luego, enumera los polígonos.

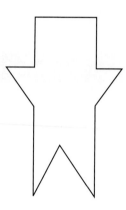

Elige la respuesta.

7 Un polígono de cuatro lados es un cuadrilátero / triángulo / hexágono.

8 Un rectángulo / cuadrado / rombo es un cuadrilátero que tiene cuatro lados de la misma longitud y cuatro ángulos rectos.

9 Un rectángulo / cuadrado / rombo es un cuadrilátero que tiene dos pares de lados paralelos, dos pares de lados que tienen la misma longitud y cuatro ángulos rectos.

10 Un paralelogramo / trapecio / triángulo es un cuadrilátero con dos pares de lados que también tienen la misma longitud.

11 Un rombo / trapecio / pentágono es un paralelogramo que tiene todos sus lados de la misma longitud.

12 Un rombo / trapecio / cuadrado es un cuadrilátero con dos lados que son paralelos, pero que no tienen la misma longitud.

POR TU CUENTA

Ver Cuaderno de actividades B:
Práctica 1, págs. 199 a 206

1 Explica por qué estas figuras no son polígonos.

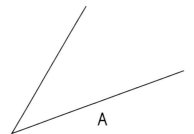

A

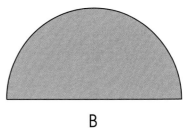

B

2

> Soy un polígono de 4 lados. Todos mis lados son iguales. ¿Qué figura puedo ser?

María cree que hay más de una respuesta.
Escribe una nota en la que expliques lo que piensas.

Lección 18.2 Figuras congruentes

Objetivos de la lección

- Identificar un deslizamiento, una inversión y un giro.
- Deslizar, invertir y girar figuras para formar figuras congruentes.
- Identificar figuras congruentes.

Aprende

Puedes deslizar, invertir y hacer girar las figuras planas.

Puedes mover las figuras de diferentes maneras.

Imagina que empujas la figura de aquí hasta allá. La estás deslizando.

La figura del perro se ha deslizado de izquierda a derecha.

Deslizar una figura es moverla en cualquier dirección.

Algunas maneras de deslizar una figura

Cuando coloco la letra D delante de un espejo, la imagen en el espejo es como la parte de atrás de la letra D.

parte de atrás

Después de invertir

frente   parte de atrás

Antes de invertir

Antes de invertir   Después de invertir

frente

La letra D se ha invertido sobre una línea.

Invertir una figura es hacerla girar desde el frente hacia atrás sobre una línea.

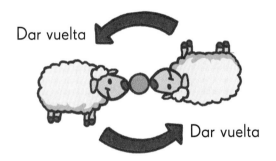

Dar vuelta

Dar vuelta

En la figura de la oveja se hizo un medio giro.
Hacer **girar** una figura es hacerla **rotar** alrededor de un punto.

Las inversiones, los deslizamientos y los giros son movimientos que cambian la posición de las figuras.

Pero la forma y el tamaño de las figuras no cambian.

Dos figuras que tienen la misma forma y tamaño son **congruentes**.

Práctica con supervisión

Traza una de las dos figuras. Recórtala y colócala encima de la otra figura. Decide cuáles conjuntos de figuras se han deslizado y son congruentes.

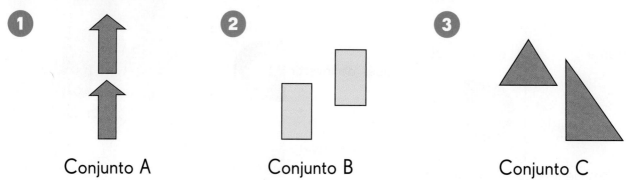

1   Conjunto A

2   Conjunto B

3   Conjunto C

Traza una de las dos figuras. Recórtala y colócala encima de la otra figura. Decide cuáles conjuntos de figuras se han invertido y son congruentes.

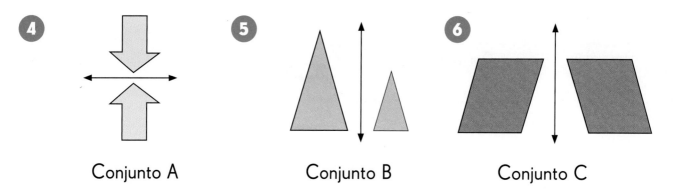

4   Conjunto A

5   Conjunto B

6   Conjunto C

Traza una de las dos figuras. Recórtala y colócala encima de la otra figura. Decide cuáles conjuntos de figuras se han hecho girar alrededor de un punto y son congruentes.

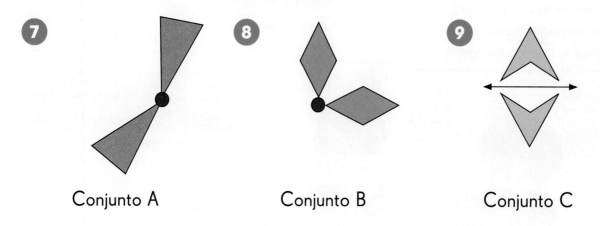

7   Conjunto A

8   Conjunto B

9   Conjunto C

Identifica pares de figuras congruentes.

Las figuras congruentes tienen el mismo tamaño y la misma forma.

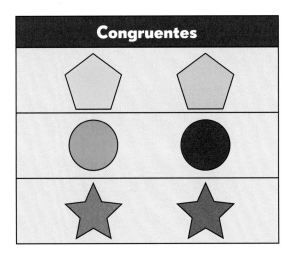

¿Cómo puedes estar seguro de que estas figuras son figuras congruentes?

Coloca una sobre la otra para ver si coinciden exactamente.

¿Dos figuras pueden aparecer en posiciones diferentes y ser congruentes?

Sí, si tienen igual forma y tamaño. Puedes demostrarlo si pones una figura encima de la otra.

No congruentes			
Razón	• Igual forma • Diferente tamaño	• Diferente forma • Diferente tamaño	• Diferente forma

Traza una de las dos figuras. Recórtala y colócala encima de la otra figura. Decide si las figuras son congruentes. Elige sí o no.

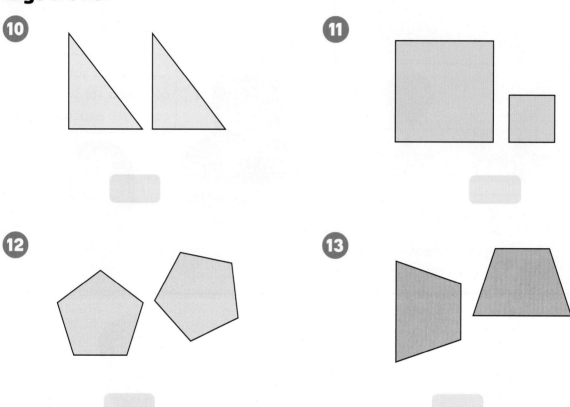

10

11

12

13

Completa. Usa papel punteado o cuadriculado como ayuda.

14 Dibuja dos hexágonos congruentes. Dibuja un tercer hexágono que no sea congruente.

Un hexágono es un polígono de seis lados.

15 Dibuja dos figuras congruentes. Luego, dibuja una tercera figura que tenga la misma forma pero que no sea congruente.

16 Dibuja dos paralelogramos congruentes. Luego, dibuja un tercer paralelogramo que no sea congruente.

Observa la bandera de los Estados Unidos.

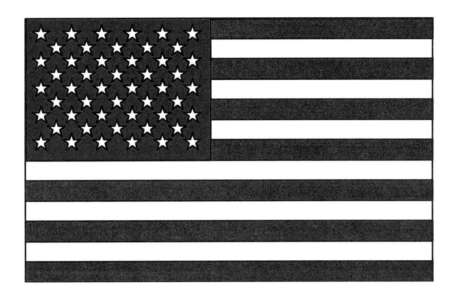

17 ¿Cuántas estrellas tiene?

18 ¿Todas las estrellas son congruentes?

19 Identifica las rayas que son congruentes.

 Manos a la obra

Usa una geotabla y algunos elásticos.

Materiales:
- una geotabla
- elásticos

1 Forma dos figuras que sean congruentes.
Explica a tu compañero por qué las figuras son congruentes.

2 Forma dos figuras que no sean congruentes.
Explica a tu compañero por qué las figuras no son congruentes.

¡El juego de la memoria!

Jugadores: 2
Materiales:
• 20 tarjetas con figuras congruentes

PASO 1 Usa estas 20 tarjetas.

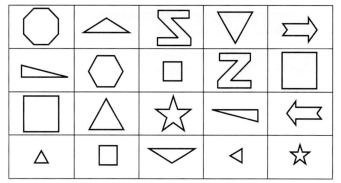

PASO 2 Mezcla las tarjetas y colócalas hacia abajo en una matriz de 5 × 4.

PASO 3 El jugador 1 da vuelta dos tarjetas. Si son congruentes, el jugador se queda con las tarjetas y levanta otras dos. Si las tarjetas no son congruentes, el jugador deja las tarjetas en la posición anterior. El turno pasa al siguiente jugador.

PASO 4 Repite el paso 3 hasta emparejar todas las tarjetas.

¡El jugador con más tarjetas gana!

Practiquemos

Completa los espacios en blanco.

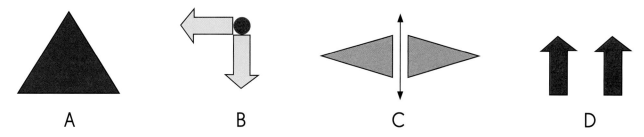

A   B   C   D

1 ¿Cuál figura muestra un deslizamiento? Figura

2 ¿Cuál figura muestra un giro? Figura

Elige la respuesta.

3 Este es un patrón. Los triángulos de izquierda a derecha ilustran un deslizamiento / una inversión / un giro.

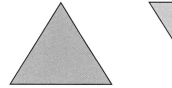  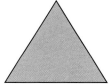 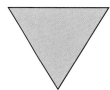

Elige la figura que muestra un giro.

4

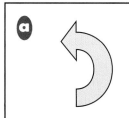  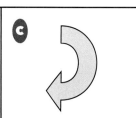

5

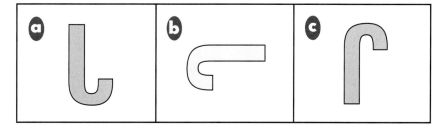

Traza la primera figura A. Recórtala y colócala sobre la figura B.

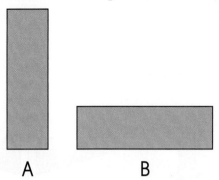

A   B

6 Elige verdadero o falso. Usa las figuras como ayuda.

Enunciados	Verdadero	Falso
Los dos rectángulos son congruentes.		
El rectángulo A se invirtió para formar el rectángulo B.		
El rectángulo A se deslizó para formar el rectángulo B.		
El rectángulo A se hizo girar para formar el rectángulo B.		

Traza la primera figura. Recórtala y colócala encima de las otras figuras. Luego, elige una figura que sea congruente.

5

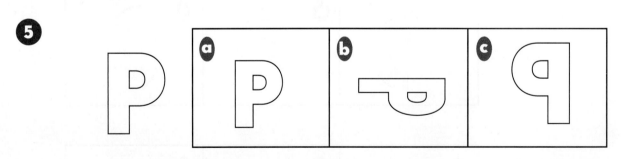

POR TU CUENTA

Ver Cuaderno de actividades B:
Práctica 2, págs. 207 a 210

1 Raquel dibujó un pentágono con lados de 5 pulgadas. Tom dibujó un octágono con lados de 5 pulgadas. Tom dice que su figura es congruente con la de Raquel.

¿Tiene razón Tom? Explica por qué.

> Dos figuras son congruentes cuando tienen la misma forma y el mismo tamaño.

2 Kelly y Kelvin dibujaron un trapecio cada uno. Kelly dice que su figura es congruente con la de Kevin. Explica cómo puedes comprobar si las dos figuras son congruentes.

18.3 Simetría

Vocabulario
simetría
eje de simetría

Objetivos de la lección

- Identificar figuras simétricas.
- Doblar para hallar un eje de simetría.

Aprende

Reconoce figuras simétricas.

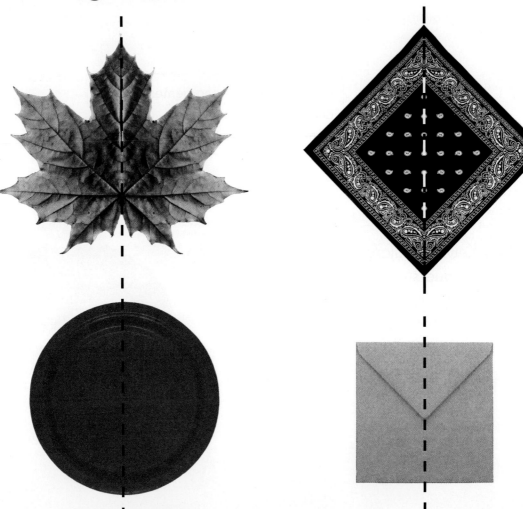

Estas figuras tienen **simetría**.
Decimos que son simétricas.
Cada figura está dividida por la mitad por una línea punteada.
Cuando la figura se dobla a lo largo de esta línea, las mitades
son exactamente iguales.

Puedes doblar la figura para hallar un eje de simetría y, así, identificar figuras simétricas.

Dobla la figura A por la línea punteada.

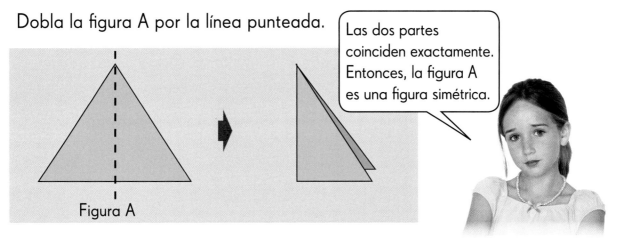

Las dos partes coinciden exactamente. Entonces, la figura A es una figura simétrica.

Figura A

La figura está dividida en mitades congruentes por la línea punteada. Las mitades congruentes coinciden exactamente cuando se doblan a lo largo de la línea punteada. La línea punteada se denomina **eje de simetría**.

Dobla la figura B a lo largo de la línea punteada como se muestra a continuación.

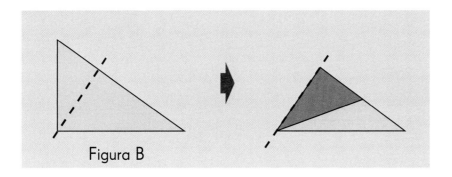

Figura B

Las dos partes no coinciden exactamente.

La línea punteada **no** es un eje de simetría.

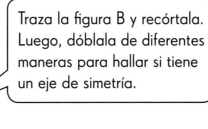

Traza la figura B y recórtala. Luego, dóblala de diferentes maneras para hallar si tiene un eje de simetría.

No se puede hallar un eje de simetría en la figura B.

Por lo tanto, la figura B no es una figura simétrica.

Manos a la obra

Conexión con la tecnología

Usa la herramienta de dibujo de tu computadora para escribir las letras mayúsculas del abecedario de la A a la Z. Luego, imprímelas. Decide cuáles letras son simétricas y cuáles no.

Simétricas	No simétricas
X	R

Compara tus respuestas con las de tus amigos.

Compara tus respuestas con las de tus amigos.

Práctica con supervisión

Elige las figuras simétricas. Figuras

1

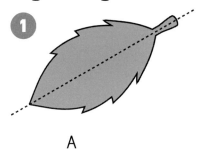

A

B

C

Enumera las figuras simétricas. Figuras

2

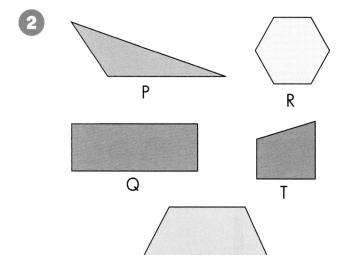

P

R

Q

T

S

Puedes trazar y recortar las figuras. Luego, dobla cada una de ellas de diferentes maneras para determinar si tienen un eje de simetría.

Decide cuáles de las líneas punteadas son ejes de simetría.

3

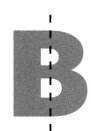

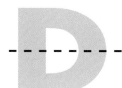

Completa.

1 Halla las figuras simétricas. Figuras [   ]

Figura A

Figura B

Figura C

Figura D

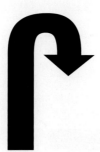

Figura E

Figura F

Rita hizo esta ilustración con las herramientas de dibujo de su computadora.

Nombra las figuras simétricas.

2

3 Dibuja una ilustración que tenga al menos 5 figuras simétricas.

4 Haz una lista de objetos que haya en tu entorno que sean simétricos.

Una hoja, una cometa, una bufanda y un sobre son algunos objetos que podrían ser simétricos.

POR TU CUENTA

Ver Cuaderno de actividades B:
Práctica 3, págs. 211 a 212

Diario de matemáticas

Las letras P y Q no son figuras simétricas.

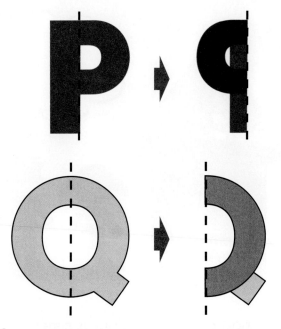

1 Explica por qué estas figuras no son simétricas.

Primero, recuerda qué es lo que hace que una figura sea simétrica. Luego, busca un eje de simetría para comprobar que la figura sea simétrica.

2 ¿Cómo comprobarías si una figura es simétrica?

¡Ponte la gorra de pensar!

RESOLUCIÓN DE PROBLEMAS

¿Cuántos tipos de triángulos puedes hallar?

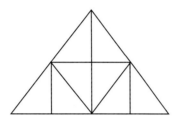

Usa papel cuadriculado para dibujar los triángulos que halles.
Luego, halla el número total de triángulos.
¿Hay triángulos congruentes?
Si es así, ¿cuántos conjuntos de triángulos congruentes hay?

Primero, halla cuántos tipos
de triángulos hay. Luego,
cuenta el número total de
cada tipo de triángulo.

POR TU CUENTA

**Ver Cuaderno de actividades B:
¡Ponte la gorra de pensar!
págs. 213 a 214**

Resumen del capítulo

Guía de estudio
Has aprendido...

Figuras bidimensionales

Cómo clasificar polígonos

Un polígono es una figura plana cerrada formada por tres o más segmentos. Los polígonos tienen vértices, lados y ángulos.

Ejemplos de polígonos especiales:

1. Triángulo
2. Cuadrilátero
3. Pentágono
4. Hexágono
5. Octágono

Cuadriláteros especiales:

1. Cuadrado
2. Rectángulo
3. Paralelogramo
4. Rombo
5. Trapecio

Combinar y descomponer polígonos:

Figuras congruentes

Las figuras con la misma forma y el mismo tamaño son congruentes.
Ejemplo

Para formar figuras congruentes, desliza, invierte y gira figuras. Estos movimientos cambian la posición de las figuras, pero la forma y el tamaño no cambian.

deslizar

invertir

girar

IDEA IMPORTANTE

▶ Los polígonos se pueden clasificar según el número de lados, vértices y ángulos. Las figuras pueden ser congruentes o simétricas, o ambas.

Simetría

Una figura simétrica tiene un eje de simetría. Este eje divide la figura en mitades congruentes. Cuando se dobla la figura a lo largo del eje de simetría, las mitades coinciden exactamente.

Este es un eje de simetría.

Este no es un eje de simetría.

Repaso/Prueba del capítulo

Vocabulario

Completa los enunciados con las palabras del recuadro.

1. C es [ ] .

C

figura plana abierta
figuras planas cerradas
vértice
cuadriláteros
congruentes
simetría
polígonos
rombo
paralelogramo
pentágono
octágono

2. Un eje de [ ] divide una figura en mitades congruentes que coinciden exactamente cuando se doblan a lo largo del eje.

3. Las siguientes figuras son [ ] y son [ ] .

4. En un polígono, dos lados se encuentran en un punto denominado [ ] .

5. [ ] tiene 4 lados iguales y 4 ángulos.

6. [ ] tiene 5 lados y [ ] tiene 8 lados.

7. [ ] es un cuadrilátero con lados opuestos iguales y paralelos.

Conceptos y destrezas

8. **Copia la tabla y dibuja polígonos para completarla.**

Triángulo	**Hexágono**	**Cuadrilátero**	**Pentágono**	**Octágono**

Identifica los ángulos. Rotula las partes de las figuras.

 9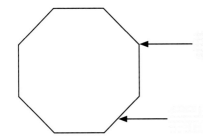

10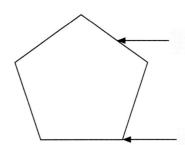

Nombra los cuadriláteros.

11  **12** **13**  **14** **15**

Decide si cada enunciado es verdadero o falso.

16 El contorno de un sobre es un cuadrilátero.

17 El contorno de una estrella es un cuadrilátero.

18 Un cuadrado es un tipo especial de rectángulo.

19 Un rombo tiene 4 lados de igual longitud y 4 ángulos rectos.

20 Un trapecio tiene 1 par de líneas paralelas y 4 ángulos.

21 Un paralelogramo tiene 2 pares de lados paralelos de la misma longitud y 4 ángulos rectos.

¿Estas figuras son congruentes? Elige sí o no.

22  **23**  **24**

Para cada par de figuras, indica cómo se movió la figura. Elige deslizamiento, inversión o giro.

25

26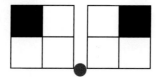

27

¿Estas figuras son simétricas? Elige sí o no.

28

29

30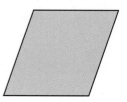

Decide cuál línea es un eje de simetría. Figura

31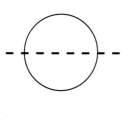

A

32

B

33

C

Resolución de problemas

34 Kyle dibujó 4 polígonos rotulados A, B, C y D. La figura A tiene el doble de lados que la figura B. La figura B tiene 3 vértices. La figura C tiene la mitad de lados que la figura D. La figura D tiene 8 vértices. Nombra los polígonos que dibujó Kyle.

Área y perímetro

La cancha de básquetbol es más pequeña que la de fútbol. Tiene un área más pequeña.

El hombre que traza la línea alrededor de la cancha de fútbol necesita más pintura.

Lecciones

19.1 Área

19.2 Unidades cuadradas (cm² y pulg²)

19.3 Unidades cuadradas (m² y ft²)

19.4 Área y perímetro

19.5 Más sobre el perímetro

IDEA IMPORTANTE

▶ Explorar y comprender las unidades que se usan para hallar el perímetro y el área de figuras, y analizar la relación entre ellas.

Recordar conocimientos previos

Usar un modelo de área para multiplicar

3 hileras de manzanas

7 manzanas en cada hilera

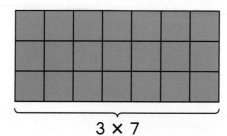

3 × 7

$$3 \times 7 = 7 + 7 + 7$$
$$= 21$$

Representar una figura en papel punteado y cuadriculado

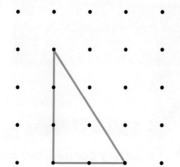

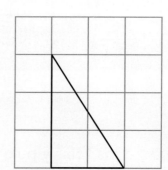

Medir la longitud con una regla

Mide la longitud de los segmentos y las curvas.

Segmento A

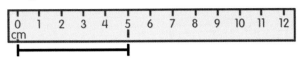

Curva B

Segmento C

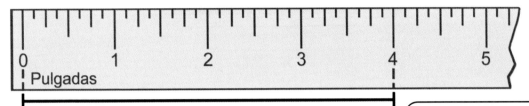

Curva D

Usa una cuerda y una regla para medir las curvas.

El segmento A mide 5 centímetros de longitud.
La curva B mide 6 centímetros de longitud.
El segmento C mide 4 pulgadas de longitud.
La curva D mide 5 pulgadas de longitud.

✔ Repaso rápido

Expresa cada operación de multiplicación como una operación de suma. Luego, halla el producto.

1 $4 \times 4 =$ ⬚ $=$ ⬚

2 $4 \times 6 =$ ⬚ $=$ ⬚

3 $4 \times 7 =$ ⬚ $=$ ⬚

4 $4 \times 8 =$ ⬚ $=$ ⬚

Observa el modelo de área y completa.

5

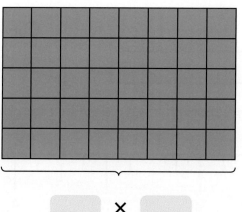

[ ] × [ ]

[ ] × [ ] = [ ] + [ ] + [ ] + [ ] + [ ]

= [ ]

Dibuja un trapecio idéntico sobre papel cuadriculado.

6

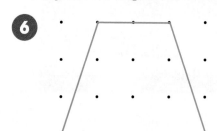

7 **Halla la longitud de cada segmento.**
Usa una regla como ayuda.

Segmento A

├───────────────────────────┤   El segmento A mide [ ] pulgadas de longitud.

Segmento B

├───────────────────┤   El segmento B mide [ ] centímetros de longitud.

19.1 Área

Vocabulario
área

unidades cuadradas

Objetivos de la lección

- Comprender el significado del área.
- Usar unidades cuadradas para hallar el área de figuras planas hechas con cuadrados y mitades de cuadrados.
- Comparar áreas de figuras planas y hacer figuras planas de igual área.

Aprende

Cuenta fichas cuadradas enteras para hallar el área.

Observa las figuras.

A

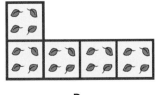

B

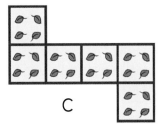

C

Cuenta el número de fichas cuadradas de cada figura.

La figura A está formada por 4 fichas cuadradas.
La figura B está formada por 5 fichas cuadradas.
Y la figura C está formada por 6 fichas cuadradas.

La superficie cubierta por las fichas es el área de cada figura.

Supongamos que cada ficha cuadrada representa 1 unidad. La figura B está formada por 5 fichas cuadradas. Entonces, su área es 5 unidades cuadradas. La figura C tiene el área más grande. La figura A tiene el área más pequeña.

El **área** es la cantidad de superficie cubierta. Se mide en **unidades cuadradas**.

Práctica con supervisión

Observa las figuras y responde a las preguntas.

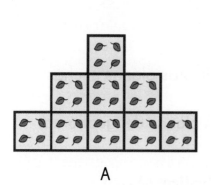

A

B

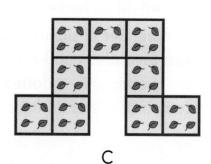

C

1 ¿Cuántas fichas cuadradas forman cada figura?

2 Cada ficha es una unidad cuadrada. ¿Qué área tiene cada figura?

3 ¿Cuál figura tiene el área más pequeña?

4 ¿Cuáles dos figuras tienen la misma área?

Aprende Usa unidades cuadradas y mitades de unidades cuadradas para medir el área.

A

es 1 unidad cuadrada.

es $\frac{1}{2}$ unidad cuadrada.

son iguales a .

forman 1 unidad cuadrada.

La figura A está formada por cuadrados y mitades de cuadrados .

La figura A está formada por 4 cuadrados de igual tamaño. Tiene un área de 4 unidades cuadradas.

Práctica con supervisión

La figura está formada por fichas cuadradas y mitades de fichas cuadradas. Expresa el área en unidades cuadradas.

5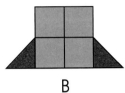

Cada cuadrado es una unidad cuadrada.

La figura B está formada por ⬚ cuadrados de igual tamaño.

B

El área de la figura B es ⬚ unidades cuadradas.

Manos a la obra

TRABAJAR EN GRUPO

Trabaja en grupos de cuatro.

Materiales:
- 10 fichas cuadradas
- 10 mitades de fichas cuadradas

1 Haz cuatro figuras diferentes.
Usa 4 cuadrados y 2 mitades de cuadrados para cada figura.
Halla el área de cada figura en unidades cuadradas.

2 Haz cuatro figuras diferentes, cada una con un área de 6 unidades cuadradas.
¿Cuántos cuadrados y mitades de cuadrados usaste para cada figura?

3 Haz tu propia figura.
Luego, trabaja con tu grupo para completar la descripción.

La figura está formada por ⬚ cuadrados y ⬚ mitades de cuadrados.

El área de la figura es ⬚ unidades cuadradas.

Continúa

Materiales:
- papel rojo
- papel azul

4 Trabaja con un compañero.
Usa algunos pedazos de papel rojo y azul.
Traza la figura roja y la figura azul y recórtalas.
Haz cuarenta pedazos de la figura roja y veinte pedazos
de la figura azul.

figura roja

figura azul

Sigue las instrucciones y completa.

 PASO 1 Coloca figuras rojas sobre la cubierta de tu libro de matemáticas.

¿Cuántas usaste? [   ] figuras rojas

El área de la cubierta del libro es aproximadamente [   ] figuras rojas.

 PASO 2 Coloca figuras azules sobre la cubierta de tu libro de matemáticas.

¿Cuántas usaste? [   ] figuras azules

El área de la cubierta del libro es aproximadamente [   ]
figuras azules.

PASO 3 Comenta tus respuestas.

Resuelve. Las figuras están formadas por fichas cuadradas y mitades de fichas cuadradas.

Halla el área de cada figura.
Da tu respuesta en unidades cuadradas.

1   A

unidades cuadradas

2   B

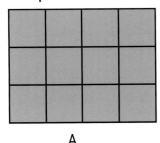

unidades cuadradas

3 ¿Cuál figura tiene el área más pequeña? la figura

4 ¿Cuál figura tiene el área más grande? la figura

Halla el área de cada figura.
Da tu respuesta en unidades cuadradas.

5

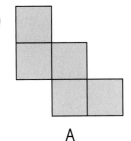

A

unidades cuadradas

6

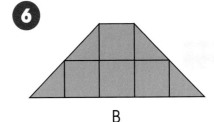

B

unidades cuadradas

7

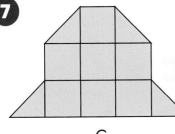

C

unidades cuadradas

8

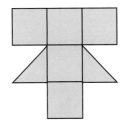

D

unidades cuadradas

9 ¿Cuál figura tiene el área más pequeña? la figura

10 ¿Cuál figura tiene el área más grande? la figura

11 ¿Cuáles figuras tienen igual área? las figuras   y

12 ¿Cuáles dos figuras tienen igual área? las figuras [ ] y [ ]

A

B

C

13 Quieres que las figuras A, B y C tengan igual área.
Explica dos maneras de hacerlo.

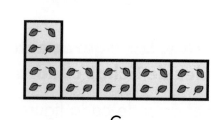

POR TU CUENTA

Ver Cuaderno de actividades B:
Práctica 1, págs. 215 a 218

 **Exploremos**

TRABAJAR EN PAREJAS

Tienes nueve mitades de fichas cuadradas. Usas todas las fichas para
formar tres figuras. Compara tus figuras con las de tus compañeros.

¿Qué observas acerca de las áreas de las figuras?

Unidades cuadradas (cm² y pulg²)

Objetivo de la lección

- Usar el centímetro cuadrado y la pulgada cuadrada para hallar y comparar el área de figuras.

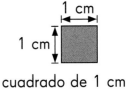

Vocabulario
centímetro
cuadrado (cm²)

pulgada
cuadrada (pulg²)

Aprende

Halla el área de figuras planas en centímetros cuadrados.

Este es un cuadrado de 1 centímetro cuadrado.

Cada lado del cuadrado mide 1 centímetro de longitud.

Su área es 1 **centímetro cuadrado**.

Lo puedes escribir así: 1 **cm²**.

1 cm

1 cm

cuadrado de 1 cm

El centímetro cuadrado (cm²) es una unidad de medida métrica para calcular el área.

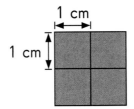

1 cm

1 cm

cuadrado de 2 cm

Un cuadrado de 2 centímetros está formado por cuatro cuadrados de 1 centímetro.

Su área es 4 centímetros cuadrados (cm²).

Continúa

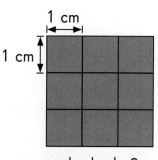

Cuenta el número de cuadrados de 1 centímetro.

cuadrado de 3 cm

Un cuadrado de 3 centímetros está formado por nueve cuadrados de 1 centímetro.

El área de cada cuadrado de 1 centímetro es 1 centímetro cuadrado.

Entonces, el área del cuadrado de 3 centímetros es 9 centímetros cuadrados.

Práctica con supervisión

Completa.

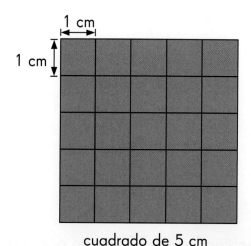

cuadrado de 5 cm

1 Un cuadrado de 5 centímetros está formado por [ ] cuadrados de 1 centímetro.

2 El área de cada cuadrado de 1 centímetro es [ ] centímetro cuadrado.

3 Entonces, el área del cuadrado de 5 centímetros es [ ] centímetros cuadrados.

Resuelve. Las figuras están formadas por fichas cuadradas y mitades de fichas cuadradas.

4 Halla el área de esta figura.

1 cm

1 cm

Área = _____ cm²

5 Halla el área de cada figura.

1 cm

1 cm

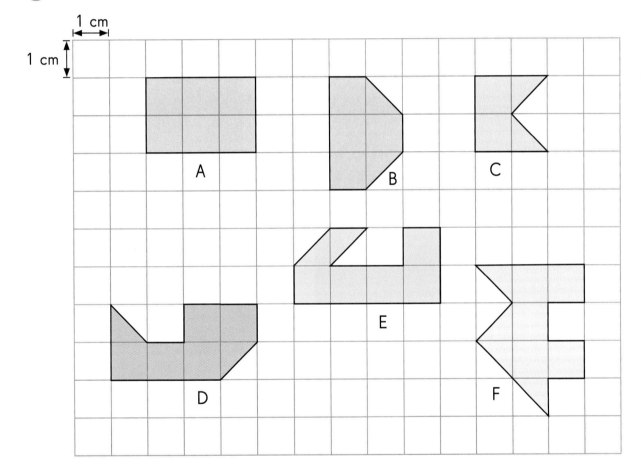

A

B

C

E

D

F

6 ¿Cuál figura tiene el área más pequeña? la figura _____

7 ¿Cuál figura tiene el área más grande? la figura _____

8 ¿Cuáles figuras tienen igual área? las figuras _____ , _____ y _____

Halla el área de figuras planas en pulgadas cuadradas .

Este es un cuadrado de 1 pulgada.
Cada lado del cuadrado mide 1 pulgada de larg.
Su área es 1 pulgada cuadrada (pulg²).

La pulgada cuadrada (pulg²) es una unidad
del sistema usual para calcular el área.

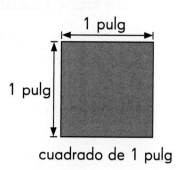

1 pulg

1 pulg

cuadrado de 1 pulg

Un cuadrado de 2 pulgadas está
formado por cuatro cuadrados
de 1 pulgada.
Su área es 4 pulgadas cuadradas (pulg²).

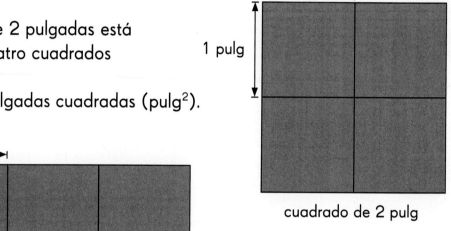

1 pulg

1 pulg

cuadrado de 2 pulg

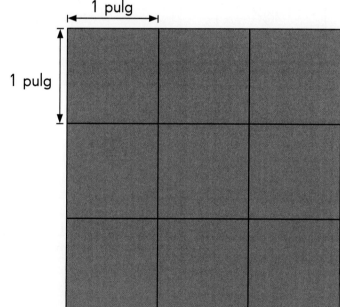

1 pulg

1 pulg

cuadrado de 3 pulg

Cuenta el número de
cuadrados de 1 pulgada.

Un cuadrado de 3 pulgadas está formado por
nueve cuadrados de 1 pulgada.
El área de cada cuadrado de 1 pulgada es 1 pulgada cuadrada.
Entonces, el área del cuadrado de 3 pulgadas es 9 pulgadas cuadradas.

Práctica con supervisión

Completa.

1 pulg

1 pulg

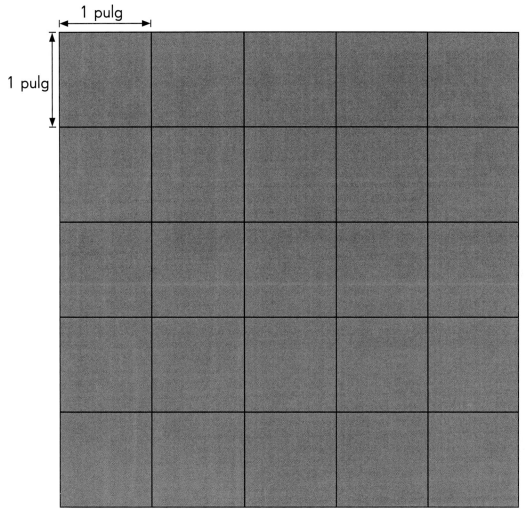

cuadrado de 5 pulg

9 Un cuadrado de 5 pulgadas está formado por ⬚ cuadrados de 1 pulgada.

10 El área de cada cuadrado de 1 pulgada es ⬚ pulgada cuadrada.

11 Entonces, el área del cuadrado de 5 pulgadas es ⬚ pulgadas cuadradas.

Las figuras están formadas por fichas cuadradas y mitades de fichas cuadradas.

12 Halla el área de esta figura.

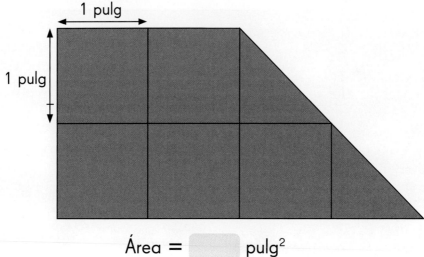

Área = ⬚ pulg²

¿Qué área tiene cada figura?

13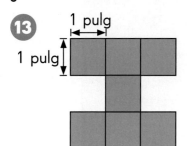

A

Área = ⬚ pulg²

14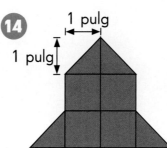

B

Área = ⬚ pulg²

15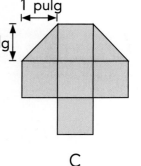

C

Área = ⬚ pulg²

> Estos cuadrados de una pulgada son más pequeños que uno de verdad.

16 ¿Cuál figura tiene un área más pequeña: la figura A o la figura B? la figura ⬚

17 ¿Cuáles dos figuras tienen igual área? las figuras ⬚ y ⬚

18 Quieres que la figura A y la figura B tengan igual área.

Explica dos maneras de hacerlo.

Manos a la obra

TRABAJAR EN GRUPO

Usa un programa de computadora que te permita dibujar figuras en una cuadrícula. Cambia el tamaño de la cuadrícula según la unidad de medida que uses.

Las figuras están formadas por fichas cuadradas y mitades de fichas cuadradas. Dibuja estas figuras y coloréalas.
Imprime tus figuras y compártelas con tus compañeros.

Estos cuadrados de una pulgada son más pequeños que uno de verdad.

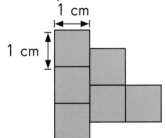

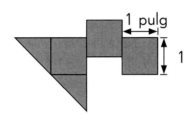

Practiquemos

Resuelve. Las figuras están formadas por fichas cuadradas y mitades de fichas cuadradas.
Halla el área de cada figura.

1

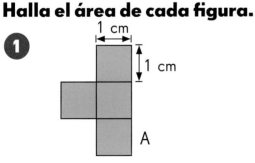

Área = _____ cm²

2

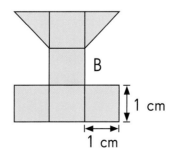

Área = _____ cm²

3 ¿Cuál figura tiene el área más grande? la figura [ ]

4 Quieres que ambas figuras tengan igual área.
Explica dos maneras de hacerlo.

Halla el área de cada figura.

5

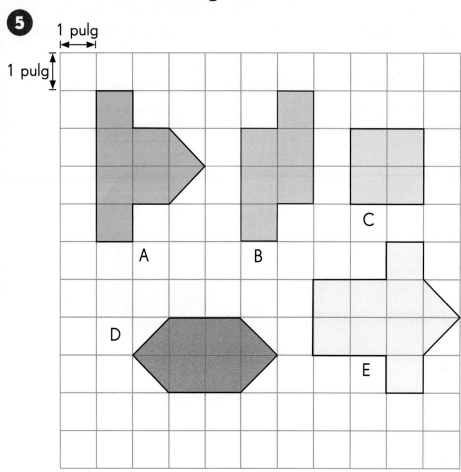

1 pulg

1 pulg

A

B

C

D

E

Estos cuadrados de una pulgada son más pequeños que uno de verdad.

6 ¿Cuál figura tiene el área más pequeña? la figura [ ]

7 ¿Cuál figura tiene el área más grande? la figura [ ]

8 ¿Cuáles figuras tienen igual área? las figuras [ ] y [ ]

POR TU CUENTA

Ver Cuaderno de actividades B:
Práctica 2, págs. 219 a 222

¿Un cuadrado de 4 centímetros es igual que 4 centímetros cuadrados?

Elige los enunciados que expliquen la respuesta a la pregunta de la niña.

1 4 centímetros cuadrados es otra manera de decir cuadrado de 4 centímetros.

2 Un cuadrado de 4 centímetros se refiere a un cuadrado con lados de 4 centímetros de longitud.

3 4 centímetros cuadrados es una medida de área.

4 Un cuadrado de 2 centímetros tiene un área de 4 centímetros cuadrados.

5 Un cuadrado de 4 centímetros tiene un área de 16 centímetros cuadrados.

Dibuja una o más figuras para representar un cuadrado de 4 centímetros y 4 centímetros cuadrados.

Lección 19.3 Unidades cuadradas (m² y ft²)

Objetivos de la lección

- Usar metros cuadrados y pies cuadrados para hallar y comparar el área de figuras planas.
- Estimar el área de superficies grandes y pequeñas.

Aprende

Halla el número de metros cuadrados que cubren una superficie.

Cada lado del tablero de esta mesa mide 1 metro de longitud.
Su área es 1 **metro cuadrado (m²)**.

1 m

1 m

¿Cuál crees que es mayor: 1 centímetro cuadrado o 1 metro cuadrado? ¿Por qué?

El metro cuadrado (m²) también es una unidad de medida métrica para calcular el área.
1 metro cuadrado (m²) es mayor que 1 centímetro cuadrado (cm²).

El tablero de una mesa mide aproximadamente 1 metro cuadrado.

El adhesivo tiene un área de 1 centímetro cuadrado.

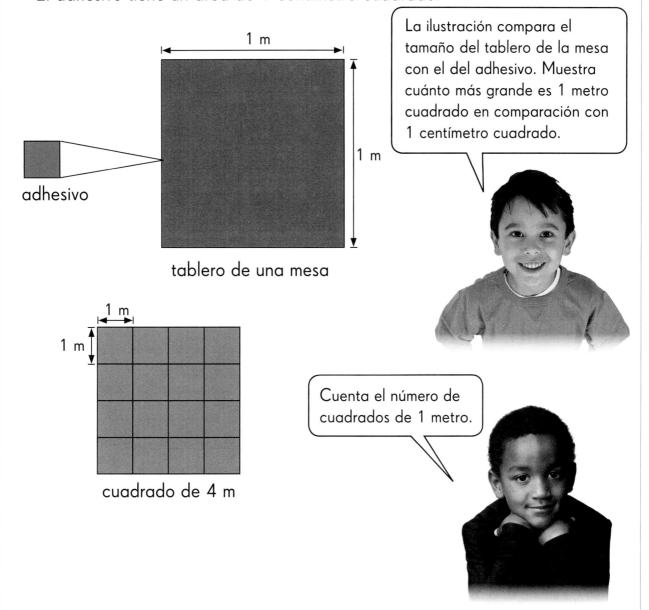

La ilustración compara el tamaño del tablero de la mesa con el del adhesivo. Muestra cuánto más grande es 1 metro cuadrado en comparación con 1 centímetro cuadrado.

1 m

1 m

adhesivo

tablero de una mesa

1 m

1 m

cuadrado de 4 m

Cuenta el número de cuadrados de 1 metro.

Un cuadrado de 4 metros está formado por dieciséis cuadrados de 1 metro.

El área de cada cuadrado de 1 metro es 1 metro cuadrado.

Entonces, el área del cuadrado de 4 metros es 16 metros cuadrados.

Práctica con supervisión

Completa. Las figuras están formadas por fichas cuadradas y mitades de fichas cuadradas.

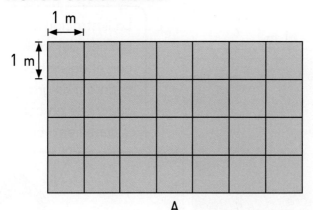

A

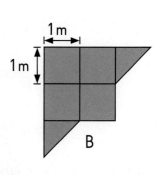

B

1 La figura A está formada por [ ] cuadrados de 1 metro.

2 El área de cada cuadrado de 1 metro es [ ] metro cuadrado.

3 Entonces, el área de la figura A es [ ] metros cuadrados.

4 Halla el área de la figura B. [ ] m^2

5 ¿Cuál figura tiene un área mayor: la figura A o la figura B?
la figura [ ]

6 ¿Cuáles dos figuras tienen igual área? [ ]

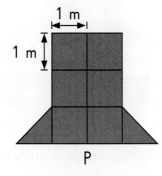

P

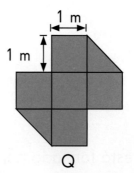

Q

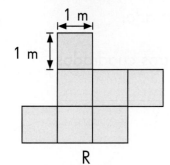

R

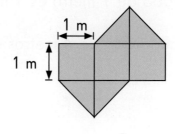

S

Halla el número de pies cuadrados que cubren una superficie plana.

Cada lado de esta baldosa mide 1 pie de longitud.
Su área es 1 **pie cuadrado (ft²)**.

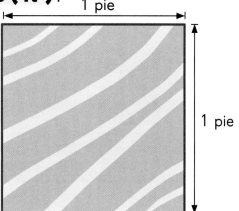

1 pie

1 pie

¿Cuál crees que es mayor: 1 pulgada cuadrada o 1 pie cuadrado? ¿Por qué?

El pie cuadrado (ft²) también es una unidad del sistema usual para calcular el área.
1 pie cuadrado es mayor que 1 pulgada cuadrada.

La baldosa mide 1 pie cuadrado.
La estampilla tiene un área de 1 pulgada cuadrada.

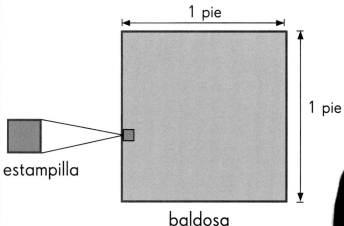

1 pie

1 pie

estampilla

baldosa

La ilustración compara el tamaño de la estampilla con el de la baldosa. Muestra cuánto más pequeña es 1 pulgada cuadrada en comparación con 1 pie cuadrado.

Continúa

cuadrado de 5 pies

Un cuadrado de 5 pies está formado por veinticinco cuadrados de 1 pie.
El área de cada cuadrado de 1 pie es 1 pie cuadrado.
Entonces, el área del cuadrado de 5 pies es 25 pies cuadrados.

Práctica con supervisión

Completa. Las figuras están formadas por fichas cuadradas y mitades de fichas cuadradas.

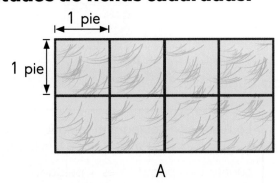

A

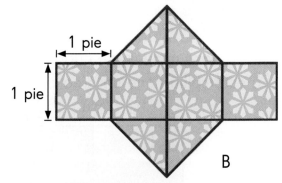

B

7 La figura A está compuesta por ⬚ fichas de 1 pie.

8 El área de cada ficha de 1 pie es ⬚ pie cuadrado.

9 Entonces, el área de la figura A es ⬚ pies cuadrados.

10 El área de la figura B es ⬚ pies cuadrados.

11 ¿Cuál figura tiene el área más pequeña: la figura A o la figura B? la figura ⬚

Manos a la obra

Observa qué hay en tu entorno, en tu salón de clases y tu casa. Identifica objetos que tengan un área de aproximadamente 1 centímetro cuadrado, 1 pulgada cuadrada, 1 pie cuadrado y 1 metro cuadrado.

Área	Objetos que hallé en la escuela	Objetos que hallé en casa
Aproximadamente 1 cm²		
Aproximadamente 1 m²		
Aproximadamente 1 pulg²		
Aproximadamente 1 ft²		

Usa papel para regalo y cinta adhesiva para hacer un pedazo de papel cuadrado con un área de 1 metro cuadrado y 1 pie cuadrado.

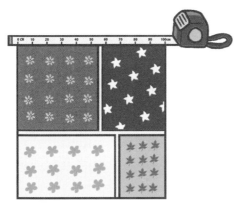

Usa ambos pedazos de papel para estimar el área de estos objetos en tu salón de clases.

Objetos	Área estimada	
	Metros cuadrados (m²)	Pies cuadrados (ft²)
Puerta		
Tu mesa		

Practiquemos

Resuelve. Las figuras están formadas por fichas cuadradas y mitades de fichas cuadradas.

Halla el área de cada figura.

1

1 m

1 m

Área = ⬜ m²

2

1 pie

1 pie

Área = ⬜ pies²

Halla el área de cada figura.

3

1 m

1 m

A   B   C

4 ¿Cuál figura tiene el área más pequeña? la figura ⬜

5 ¿Cuál figura tiene el área más grande? la figura ⬜

6 ¿Cuál figura tiene un área 1 m² menor que la figura A? la figura ⬜

Halla el área de cada figura.

7

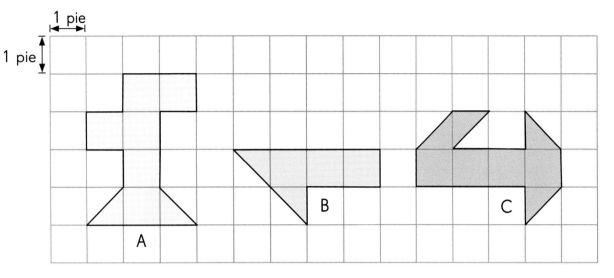

8 ¿Cuál figura tiene el área más pequeña? la figura

9 ¿Cuál figura tiene el área más grande? la figura

10 ¿Cuál figura tiene un área 2 ft² mayor que la figura B? la figura

POR TU CUENTA

Ver Cuaderno de actividades B:
Práctica 3, págs. 223 a 226

Exploremos

Usa un papel cuadriculado.
Rotula un cuadrado pequeño en la cuadrícula como 1 m².
Dibuja tantas figuras diferentes con un área de 3 metros cuadrados como sea posible. Coloréalas.
No uses mitades de cuadrados.
No dibujes figuras semejantes que puedas obtener al hacerlas girar.

Continúa

Ejemplo

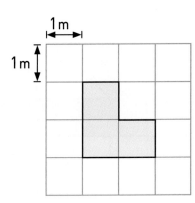

1 m

1 m

Solo puedo dibujar una figura una vez, y los cuadrados pueden unirse por una arista o un vértice.
No puedo dibujar figuras semejantes que podría obtener al hacerlas girar.

Puedo obtener las figuras A, B y C al hacer girar la figura del ejemplo.

Ejemplo   Figura A   Figura B   Figura C

Entonces, no puedo dibujar las figuras A, B ni C porque son semejantes al ejemplo.

¿Cuántas figuras más puedes dibujar?

19.4 Área y perímetro

Objetivos de la lección

- Comprender el significado del perímetro.
- Hallar el perímetro de figuras formadas por cuadrados pequeños.
- Comparar el área y el perímetro de dos figuras.

Vocabulario
perímetro

Aprende

Halla el perímetro y el área de una figura.

Observa el rectángulo en la geotabla.

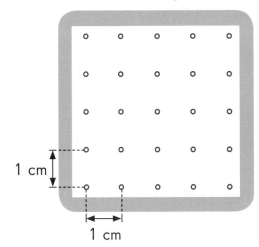

El **perímetro** del rectángulo es la distancia que lo rodea. Para hallar el perímetro, halla la longitud de cada lado del rectángulo en centímetros y súmalos.

$3 + 2 + 3 + 2 = 10$

Entonces, el perímetro del rectángulo es 10 centímetros.

El área del rectángulo es 6 centímetros cuadrados.

Observa la figura.

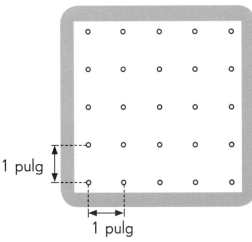

También puedes medir el perímetro en metros y en pies.

El perímetro de esta figura es 12 pulgadas.
Su área es 5 pulgadas cuadradas.

Continúa

Se puede medir el perímetro en centímetros (cm), pulgadas (pulg), metros (m) y pies.
Se puede medir el área en centímetros cuadrados (cm²), pulgadas cuadradas (pulg²), metros cuadrados (m²) y pies cuadrados (ft²).

Práctica con supervisión

Completa.

Observa las dos figuras en la geotabla.

Tienen igual perímetro.

1 El perímetro de cada figura es [ ] centímetros.

No tienen igual área.

2 El área de la figura A es [ ] centímetros cuadrados.

3 El área de la figura B es [ ] centímetros cuadrados.

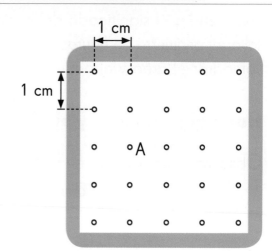

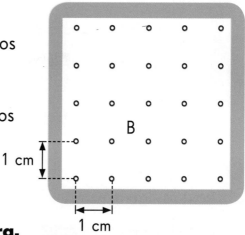

Halla el perímetro y el área de cada figura.

4

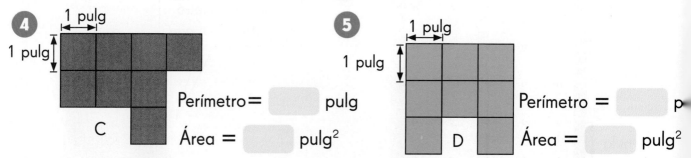

1 pulg
1 pulg
C

Perímetro = [ ] pulg

Área = [ ] pulg²

5

1 pulg
1 pulg
D

Perímetro = [ ] p[ ]

Área = [ ] pulg²

6 ¿Las figuras C y D tienen igual área? Explica tu respuesta.

7 ¿Tienen igual perímetro? Explica tu respuesta.

Manos a la obra

Trabaja en grupos de cuatro.
Usa una geotabla y un elástico.

1 Haz una figura con esta forma ∟ .
Luego, halla el perímetro y el área de la figura.
El perímetro de la figura mide _____ centímetros.

El área de la figura es _____ centímetros cuadrados.

2 Haz una figura con un perímetro de 8 centímetros.
Luego, halla su área.
El área de la figura es _____ centímetros cuadrados.

Practiquemos

Completa.

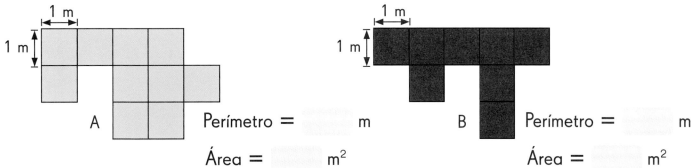

A   Perímetro = _____ m

Área = _____ m²

B   Perímetro = _____ m

Área = _____ m²

1 ¿Las figuras A y B tienen igual área? Explica tu respuesta.

2 ¿Tienen igual perímetro? Explica tu respuesta.

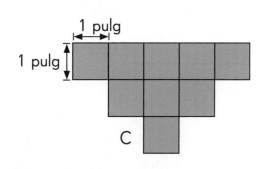

C

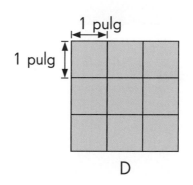

D

Estos cuadrados de una pulgada son más pequeños que uno de verdad.

Perímetro = ____ pulg

Área = ____ pulg²

Perímetro = ____ pulg

Área = ____ pulg²

3 ¿Las figuras C y D tienen igual área? Explica tu respuesta.

4 ¿Tienen igual perímetro? Explica tu respuesta.

POR TU CUENTA

Ver Cuaderno de actividades B:
Práctica 4, págs. 227 a 230

Exploremos

Usa una geotabla y elásticos para hacer estas figuras.

1 Haz dos figuras que tengan un área de 8 unidades cuadradas. ¿Las figuras tienen igual perímetro?

2 Haz dos figuras que tengan un perímetro de 12 unidades. ¿Las figuras tienen igual área?

3 Haz un cuadrado con lados de 4 unidades cada uno. ¿Qué observas acerca de su área y su perímetro?

19.5 Más sobre el perímetro

Objetivos de la lección

- Hallar el perímetro de una figura al sumar todos sus lados.
- Elegir la herramienta y las unidades de longitud apropiadas para medir el perímetro.
- Medir el perímetro de superficies de objetos y lugares.

Aprende

Halla el perímetro de figuras.

Cada lado del cuadrado mide 6 centímetros de longitud.
Halla su perímetro.

Perímetro = 6 + 6 + 6 + 6
            = 24 cm

El perímetro mide
24 centímetros.

6 cm

6 cm

¿Cuántos lados tiene el cuadrado?

Práctica con supervisión

Completa.

1 Mide los lados del rectángulo en centímetros. Halla su perímetro.

Perímetro = ___ + ___ + ___ + ___

          = ___

Usa una regla en centímetros para medir la longitud de los lados.

El perímetro mide ___ centímetros.

2 Halla el perímetro de la figura.

Perímetro = ▢ + ▢ + ▢ + ▢ + ▢

= ▢ pulg

3 pulg   3 pulg

2 pulg   2 pulg

3 pulg

3 El ancho de una alfombra es 14 pies.
Su longitud es el doble de su ancho.
¿Qué perímetro tiene la alfombra?

?

14 pies

Longitud = ▢ × ▢

= ▢ pies

Perímetro = ▢ + ▢ + ▢ + ▢

= ▢ pies

El perímetro de la alfombra mide ▢ pies.

4 Se usaron cuatro fichas cuadradas con lados de 12 centímetros para cubrir
la superficie de una ficha cuadrada grande. ¿Qué perímetro tiene la ficha
cuadrada grande?

Longitud de un lado de la ficha cuadrada grande

= ▢ × ▢

= ▢ cm

12 cm

12 cm

Perímetro de la ficha cuadrada grande

= ▢ + ▢ + ▢ + ▢

= ▢ cm

El perímetro de la ficha cuadrada grande mide ▢ centímetros.

5 Un campo rectangular mide 35 metros de ancho.
Su longitud es tres veces mayor que su ancho. Iván corrió alrededor del
campo una vez.
¿Qué distancia corrió?

35 m

?

Longitud del campo = ⬚ × ⬚

= ⬚ m

Perímetro = ⬚ + ⬚ + ⬚ + ⬚

= ⬚ m

Iván corrió ⬚ metros.

 Manos a la obra

Estos son algunos palitos de distintas longitudes.

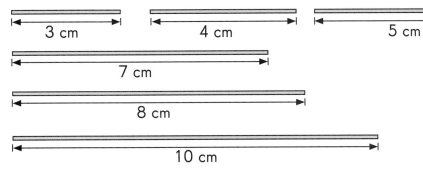

3 cm   4 cm   5 cm

7 cm

8 cm

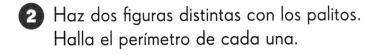

10 cm

1 Esta figura está hecha con algunos de los palitos.
¿Qué perímetro tiene?

Perímetro = ⬚ cm

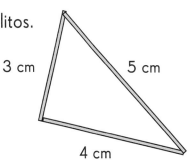

3 cm   5 cm

4 cm

2 Haz dos figuras distintas con los palitos.
Halla el perímetro de cada una.

1 Escribe cómo hallarías el perímetro de tu salón de clases. Incluye cada paso.

> ¿Qué longitudes debo medir?
> ¿Qué herramientas uso para medir?
> ¿Cómo hallo el perímetro a partir de mis medidas?

2 Tu mejor amigo no fue a clase y se perdió la lección sobre el perímetro. Escríbele una carta en la que expliques el término. Usa diagramas como ayuda.

> Primero, piensa en un ejemplo que ilustre el término. Luego, piensa en una unidad de medida para usar en el ejemplo.

Practiquemos

Resuelve.
Mide los lados de la figura con una regla en centímetros.
Luego, halla el perímetro.

1

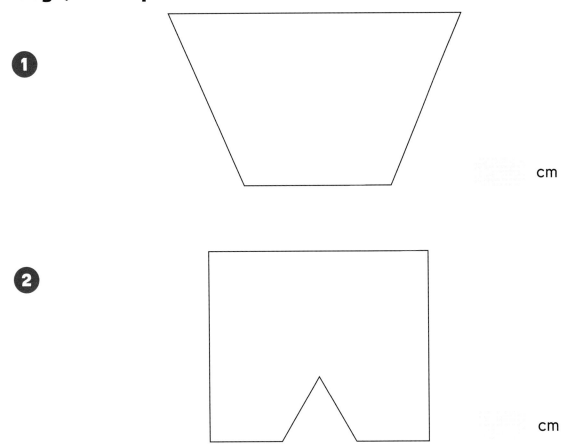

cm

2

cm

Halla el perímetro de cada cuadrado.

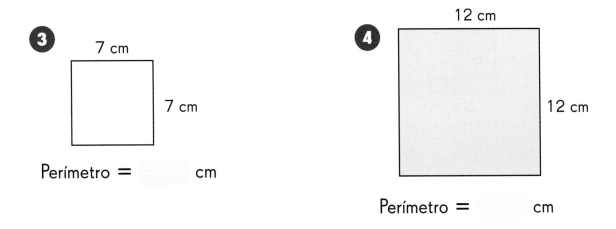

3

7 cm

7 cm

Perímetro = _____ cm

4

12 cm

12 cm

Perímetro = _____ cm

5 Cada lado de un cuadrado mide 8 metros.
Halla el perímetro del cuadrado.

Halla el perímetro de cada rectángulo.

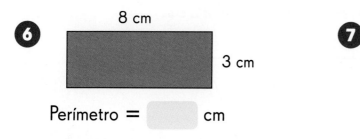

6

8 cm

3 cm

Perímetro = [ ] cm

7

4 m

6 m

Perímetro = [ ] m

Halla el perímetro de cada figura.

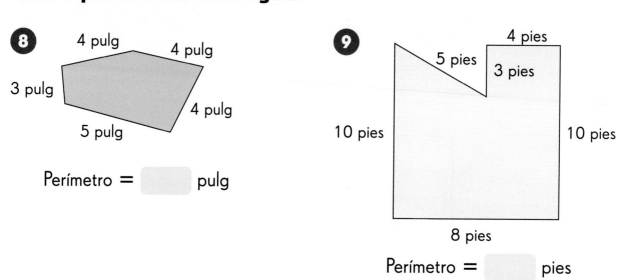

8

4 pulg

4 pulg

3 pulg

4 pulg

5 pulg

Perímetro = [ ] pulg

9

4 pies

5 pies   3 pies

10 pies   10 pies

8 pies

Perímetro = [ ] pies

10 El señor Carlson tiene un jardín con estos lados. Quiere colocar una cerca
alrededor de su jardín. Halla la longitud de la cerca que necesita.

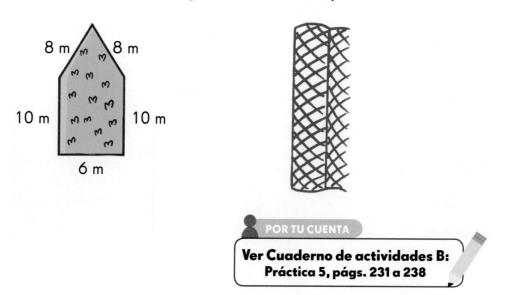

8 m   8 m

10 m   10 m

6 m

POR TU CUENTA

**Ver Cuaderno de actividades B:
Práctica 5, págs. 231 a 238**

¡Ponte la gorra de pensar!

RESOLUCIÓN DE PROBLEMAS

1 ¿Cuántos cuadrados de distintos tamaños puedes hallar en esta figura? Usa la tabla como ayuda para hallar la respuesta.

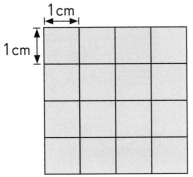

Tamaño del cuadrado	Número de cuadrados
de 1 cm	
de 2 cm	
de 3 cm	
de 4 cm	

2 ¿Cuántos cuadrados de 1 centímetro hay en cada figura?

  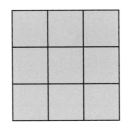

> Los cuadrados pueden traslaparse.

Figura	Número de cuadrados
1	1
2	1 + ___ = ___
3	1 + ___ + ___ = ___

3 ¿Qué patrón observas? Descríbelo.

POR TU CUENTA

Ver Cuaderno de actividades A:
¡Ponte la gorra de pensar!
págs. 239 a 242

4 ¿Cuántos cuadrados habría en la figura 10?

Resumen del capítulo

Guía de estudio
Has aprendido…

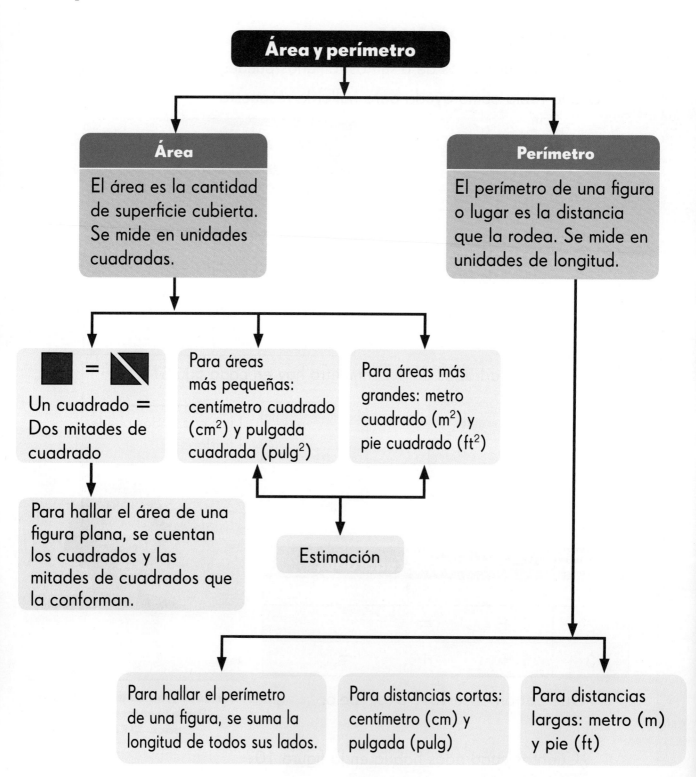

Área y perímetro

Área

El área es la cantidad de superficie cubierta. Se mide en unidades cuadradas.

Perímetro

El perímetro de una figura o lugar es la distancia que la rodea. Se mide en unidades de longitud.

Un cuadrado = Dos mitades de cuadrado

Para áreas más pequeñas: centímetro cuadrado (cm^2) y pulgada cuadrada (pulg^2)

Para áreas más grandes: metro cuadrado (m^2) y pie cuadrado (ft^2)

Para hallar el área de una figura plana, se cuentan los cuadrados y las mitades de cuadrados que la conforman.

Estimación

Para hallar el perímetro de una figura, se suma la longitud de todos sus lados.

Para distancias cortas: centímetro (cm) y pulgada (pulg)

Para distancias largas: metro (m) y pie (ft)

► Explorar y comprender las unidades que se usan para hallar el perímetro y el área de figuras, y analizar la relación entre ellas.

Perímetro y área de figuras planas

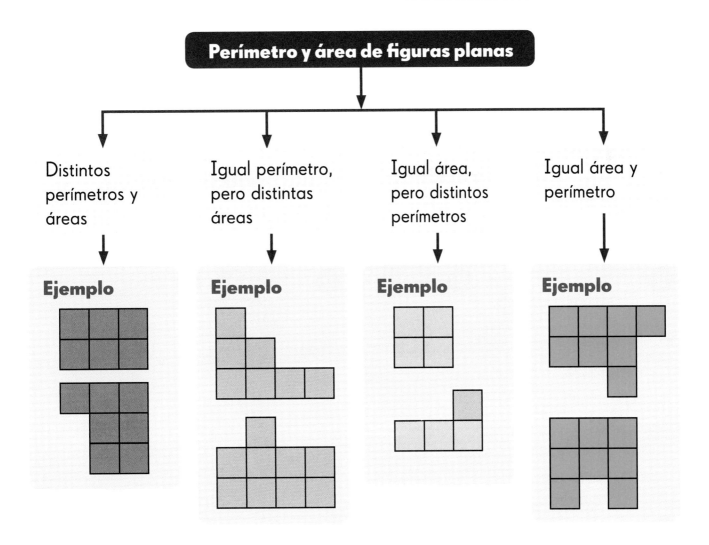

Distintos perímetros y áreas

Igual perímetro, pero distintas áreas

Igual área, pero distintos perímetros

Igual área y perímetro

Ejemplo   **Ejemplo**   **Ejemplo**   **Ejemplo**

Repaso/Prueba del capítulo

área
perímetro
centímetros
metro
pulgadas
pies

Vocabulario

Completa los enunciados.

1 La cantidad de superficie cubierta es _____ .

2 La distancia alrededor de una figura o lugar es su _____ .

3 El perímetro de una estampilla es aproximadamente 8 _____ o 4 _____ .

4 El área de la mesa del maestro es aproximadamente 9 _____ cuadrados o 1 _____ cuadrado.

Conceptos y destrezas

Completa. Las figuras están formadas por fichas cuadradas y mitades de fichas cuadradas.

Halla el área de cada figura.

5

6

7

8

A

B

C

D

_____ unidades cuadradas

_____ unidades cuadradas

_____ unidades cuadradas

_____ unidades cuadradas

9 ¿Cuál figura tiene el área más grande? la figura _____

10 ¿Cuáles figuras tienen el área más pequeña? las figuras _____ y _____

11 ¿Cuáles dos figuras tienen igual área? las figuras _____ y _____

12 Quieres que la figura A y la figura C tengan igual área. Explica dos maneras de hacerlo.

Las figuras están formadas por fichas cuadradas y mitades de fichas cuadradas.

Halla el área de cada figura.

13

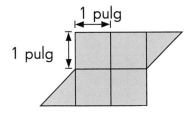

Área = _____ pulg²

14

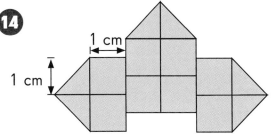

Área = _____ cm²

15

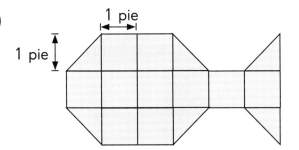

Área = _____ pies²

16

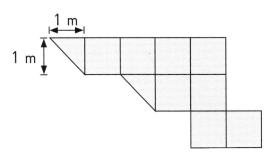

Área = _____ m²

Halla el perímetro y el área de cada figura.

17

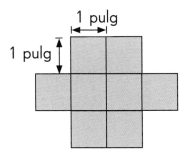

Perímetro = _____ pulg

Área = _____ pulg²

18

1 cm

1 cm

Estos cuadrados de una pulgada son más pequeños que uno de verdad.

Perímetro = _____ cm

Área = _____ cm²

Halla el perímetro y el área de cada figura.
Luego, responde a las preguntas.

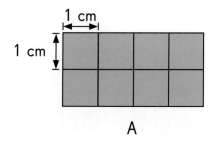

A

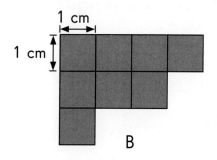

B

19 ¿Las figuras A y B tienen igual área?

20 ¿Tienen igual perímetro?

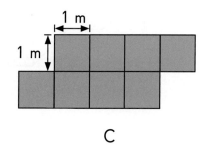

C

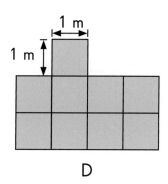

D

21 ¿Las figuras C y D tienen igual área?

22 ¿Tienen igual perímetro?

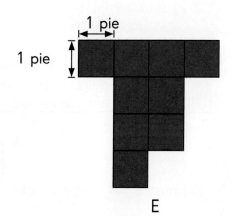

E

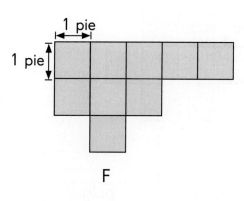

F

23 ¿Las figuras E y F tienen igual área?

24 ¿Tienen igual perímetro?

Mide los lados del paralelogramo. Halla su perímetro.

 25

Perímetro = _____ + _____ + _____ + _____

= _____ cm

Resolución de problemas

26 Un campo rectangular mide 10 metros por 5 metros. Se coloca una cerca que lo rodea. ¿Qué longitud debe tener la cerca?

27 Para formar un rectángulo, se colocan lado a lado dos fichas cuadradas cuyos lados miden 6 centímetros de longitud. ¿Qué perímetro tiene el rectángulo?

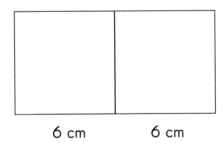

6 cm   6 cm

28 El siguiente diagrama representa el piso de una cocina.

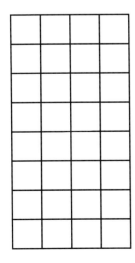

El señor Thompson necesita alternar baldosas blancas y azules para cubrir el piso de la cocina. ¿Cuántas baldosas de cada color deberá comprar?

Glosario

A

- **ángulo**

  Cuando dos segmentos comparten el mismo extremo, forman un ángulo.

  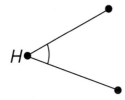

  Este es el ángulo *H*.

- **ángulo recto**

  El ángulo *P* es un ángulo recto. Usa el vértice de un papel doblado para comprobar si un ángulo es recto.

- **área**

  El área es el número de unidades cuadradas que se necesitan para cubrir la superficie de cada figura.

  El área de esta figura es 4 unidades cuadradas.

C

- **cálido**

  Cuando la temperatura exterior es 75 °F, está cálido.

  Ver **frío**

- **caliente**

  Cuando la temperatura exterior es 105 °F, está caliente.

  Ver **frío**

- **capacidad**

  La capacidad es la cantidad de líquido que puede contener un recipiente.

- **centímetro (cm)**

  El centímetro es una unidad métrica de longitud. Se usa para medir longitudes más cortas. La forma abreviada de escribirlo es cm.
  100 cm = 1 m

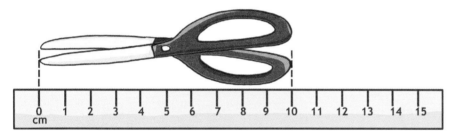

  Las tijeras miden 10 centímetros de longitud.

- **centímetro cuadrado (cm²)**

  El centímetro cuadrado es una unidad métrica de medida para medir un área.
  La forma abreviada de escribirlo es cm².

  Este es un cuadrado de 1 centímetro.
  Su área es 1 centímetro cuadrado (cm²).

- **combinar polígonos**

Se puede unir un triángulo y un trapecio para formar un pentágono. Este es un ejemplo de cómo se pueden combinar los polígonos. Ver **polígono**

- **congruente**

Las figuras idénticas son congruentes. Tienen la misma forma y el mismo tamaño.

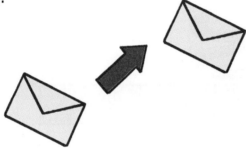

- **convertir**

Puedes convertir unidades de medida.

Por ejemplo, estas conversiones expresan la hora en minutos o en horas y minutos.

$$1 \text{ h } 10 \text{ min } = 60 \text{ min } + 10 \text{ min}$$
$$= 70 \text{ min}$$

$$135 \text{ min } = 120 \text{ min } + 15 \text{ min}$$
$$= 2 \text{ h } 15 \text{ min}$$

- **cuadrilátero**

  Polígono con 4 lados y 4 ángulos.

   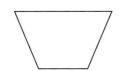 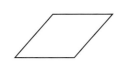

  Estos son ejemplos de cuadriláteros.

  Ver **polígono**

- **cuarto (ct)**

  El cuarto es una unidad del sistema usual de capacidad.
  La forma abreviada de escribirlo es ct.
  1 ct = 2 pt

- **denominador**

  Es el número que está debajo de la línea en una fracción.
  Representa el número de partes iguales en las cuales se divide un entero.

  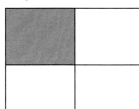 $\frac{1}{4}$ del rectángulo está sombreado.

  En la fracción $\frac{1}{4}$, 4 es el denominador.

- **descomponer un polígono**

  Este es un ejemplo de cómo se descompone un polígono.

  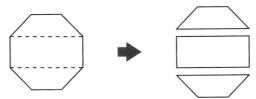

  Se puede descomponer un octágono en un rectángulo y dos trapecios.
  Ver **polígono**

- **deslizar**

Mover una figura en cualquier dirección hacia una nueva posición.

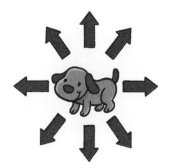

- **después de**

9:20 a.m. es lo mismo que 20 minutos después de las 9 a.m.

- **diagrama de puntos**

Este es un diagrama de puntos.
Es un diagrama que usa una recta
numérica para representar la frecuencia
con la que ocurre un suceso.

Número de tarjetas de cumpleaños

		X		
X	X		X
X	X	X	X

1   2   3   4

Número de tarjetas de cumpleaños recibidas

- **distancia**

Distancia es la longitud entre un lugar y otro.

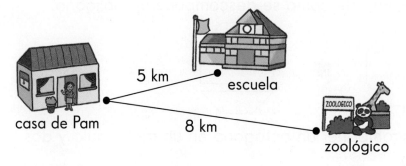

5 km   escuela

casa de Pam   8 km   ZOOLOGICO zoológico

La distancia entre la casa de Pam y el zoológico es 8 kilómetros.

E

- **eje**

  Un eje es una línea de la cuadrícula que puede ser vertical u horizontal. Ver **eje horizontal** y **eje vertical**

- **eje de simetría**

  Una línea que divide una figura en dos mitades congruentes. Las mitades coinciden exactamente cuando se doblan a lo largo de esta línea.

  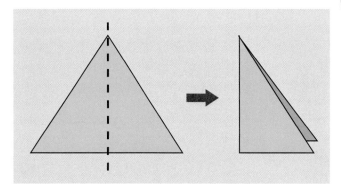

- **eje horizontal**

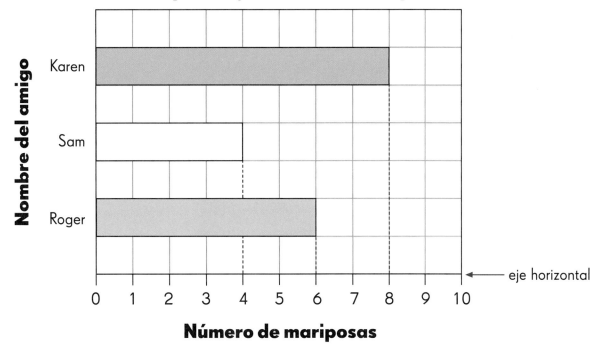

Mariposas que vieron tres amigos

El valor de las barras puede leerse en el eje horizontal, el cual está numerado de 0 a 10.

Ver **eje**

- **eje vertical**

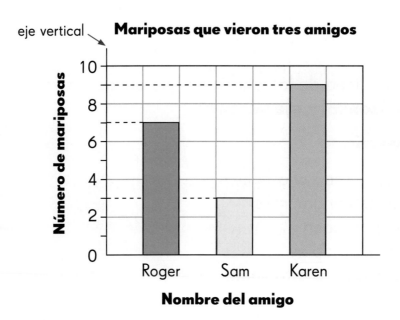

El valor de cada barra puede leerse en el eje vertical, el cual está numerado con 0, 2, 4, 6, 8 y 10.

Ver **eje**

- **el mayor**

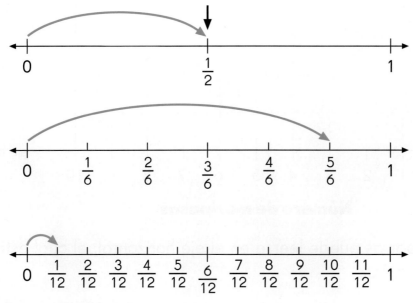

$\frac{5}{6}$ es la fracción mayor.

- **el menor**

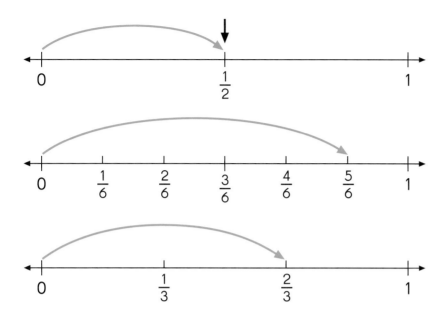

$\frac{1}{2}$ es la fracción menor.

- **encuesta**

    Método que se usa para reunir información o datos.

- **entero**

    Una fracción es una parte de un entero.
    Divide un pastel rectangular entre 5 partes iguales.

$\frac{5}{5}$ es un entero.

- **es paralela a**

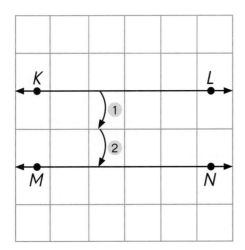

La línea *KL* es paralela a la línea *MN*.

- **es perpendicular a**

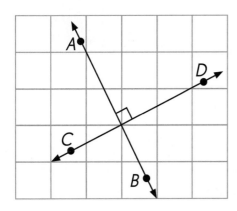

La línea *AB* es perpendicular a la línea *CD*.

- **escala**

Los números que se hallan en el eje vertical o en el eje horizontal de una gráfica.

Ver **eje horizontal** y **eje vertical**

- **extremo**

  Es el final de un segmento.

  Ver **segmento**

F

- **Fahrenheit (°F)**

  Ver **grados Fahrenheit**

- **figura plana**

  Una figura que no tiene volumen. Puede ser abierta o cerrada.

     Estos son ejemplos de figuras planas.

- **figura plana abierta**

  Una figura plana que no comienza y termina en el mismo punto.

     Estos son ejemplos de figuras planas abiertas.

- ## figura plana cerrada

  Una figura plana que comienza y termina en el mismo punto.

  Estos son ejemplos de figuras planas cerradas.

- ## fracciones equivalentes

  Las fracciones equivalentes son dos o más fracciones que nombran las mismas partes de un entero.

  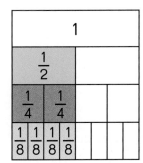 $\frac{1}{2}$, $\frac{2}{4}$ y $\frac{4}{8}$ nombran las mismas partes de un entero.

- ## fracciones no semejantes

  $\frac{2}{10}$ y $\frac{2}{7}$ son fracciones no semejantes.

  Las fracciones con denominadores diferentes son fracciones no semejantes.

  Ver **fracciones semejantes**

- ## fracciones semejantes

  $\frac{1}{4}$ y $\frac{3}{4}$ son fracciones semejantes.

  Las fracciones que tienen los mismos denominadores son fracciones semejantes.

  Ver **fracciones no semejantes**

- **fresco**

  Cuando la temperatura exterior es 50 °F, está fresco.

- **frío**

  Usar referentes como frío, fresco, cálido y caliente para estimar la temperatura. Cuando la temperatura exterior es 32 °F, hace frío.

G

- **galón (gal)**

  El galón es una unidad del sistema usual de capacidad. La forma abreviada de escribirlo es gal.

  1 gal = 4 ct

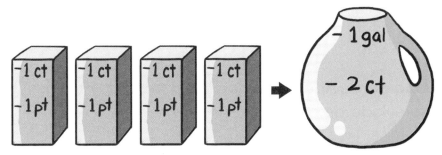

- **girar**

  Rotar una figura alrededor de un punto.

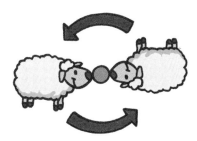

  Ver **rotar**

- **grados Fahrenheit (°F)**

  Es una unidad del sistema usual de medida de temperatura.

gramo (g)

El gramo es la unidad métrica de masa. Se usa para medir la masa de los objetos más livianos. La forma abreviada de escribirlo es g.

1,000 g = 1 kg

La masa del estuche para lápices es 500 gramos.

hora (h)

Es una unidad de medida de tiempo. En 1 hora hay 60 minutos.
La forma abreviada de escribirlo es h.
60 min = 1 h
Ver **minuto**

invertir

Girar una figura sobre una línea de manera que el frente quede en la parte de atrás.

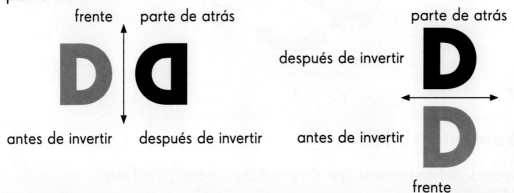

K

- ## kilogramo (kg)

  El kilogramo es una unidad métrica de masa.
  Se usa para medir la masa de los objetos más pesados.
  Un kilogramo es 1,000 veces más pesado que 1 gramo.
  La forma abreviada de escribirlo es kg.
  1 kg = 1,000 g

  La masa de los plátanos es 1 kilogramo.
  Ver **gramo**

- ## kilómetro (km)

  El kilómetro es una unidad métrica de longitud. Se usa para medir longitud y distancia. La forma abreviada de escribirlo es km.
  1 km = 1,000 m

  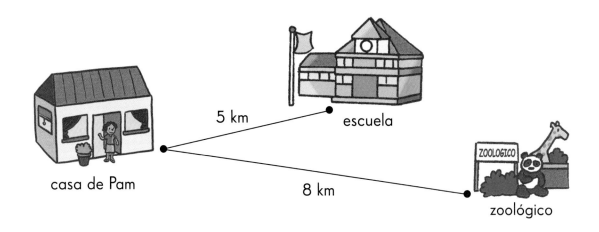

  La distancia entre la casa de Pam y la escuela es 5 kilómetros.

L

- ## libra (lb)

  La libra es una unidad del sistema usual de peso.
  La forma abreviada de escribirla es lb.
  1 lb = 16 oz

  El peso de la barra de pan es aproximadamente
  1 libra.

- ## línea

  Una línea es una trayectoria recta. Continúa sin fin en ambas
  direcciones, como muestran las puntas de las flechas.

  A

  B

  La línea atraviesa los puntos *A* y *B*. Esta es la línea *AB* o *BA*.

- ## línea cronológica

  15 min   20 min

  6:45 p.m.   7:00 p.m.   7:20 p.m.

  Usa una línea cronológica como ayuda para hallar el tiempo transcurrido.

  Ver **tiempo transcurrido**

- **líneas paralelas**

  Dos líneas que no se cruzan nunca, sin importar la longitud con la que se las trace.

  Ver **es paralela a**

- **líneas perpendiculares**

  Dos líneas que se cruzan en ángulos rectos.

  Ver **es perpendicular a**

- **litro (l)**

  El litro es una unidad métrica de volumen y capacidad. La forma abreviada de escribirlo es l.

  1 l = 1,000 ml

La taza graduada contiene 1 litro de agua.

M

- **mayor que (>)**

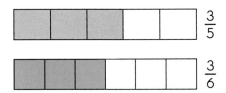

$\frac{3}{5}$ es mayor que $\frac{3}{6}$.

• **media pulgada**

La longitud del lápiz, medido hasta la media pulgada más cercana,
es $4\frac{1}{2}$ pulgadas.

Ver **pulgada**

• **menor que (<)**

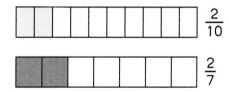

$\frac{2}{10}$ es menor que $\frac{2}{7}$.

• **metro (m)**

El metro es una unidad métrica de longitud. La forma abreviada de
escribirlo es m.

1 m = 100 cm

Ver **centímetro**
Ver **kilómetro**

metro cuadrado (m²)

El metro cuadrado es una unidad métrica de medida para medir un área. La forma abreviada de escribirlo es m².

Un cuadrado de 1 metro de lado tiene un área de 1 metro cuadrado (m²).

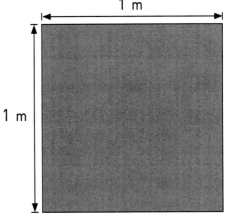

1 m

1 m

mililitro (ml)

El mililitro es una unidad métrica de volumen y capacidad. La forma abreviada de escribirlo es ml.

1,000 ml = 1 l

La taza graduada contiene 250 mililitros de agua.

milla (mi)

La milla es una unidad del sistema usual de longitud. La forma abreviada de escribirla es mi.

Para hacer una caminata rápida de 1 milla, se suele tardar aproximadamente 20 minutos.

- **mínima expresión**

$$\frac{2}{4} = \frac{1}{2}$$

÷ 2

÷ 2

$\frac{1}{2}$ es una fracción en su mínima expresión.

- **minuto (min)**

Es una unidad de medida de tiempo.
La forma abreviada de escribirlo es min.
60 min = 1 h

Cada marca pequeña representa 1 minuto.
El minutero indica 5 minutos.

1 minuto

N

- **numerador**

Es el número que está encima de la línea en una fracción. Representa el número de partes sombreadas de un entero.

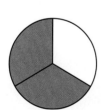

$\frac{2}{3}$ del círculo están sombreados.

En la fracción $\frac{2}{3}$, 2 es el numerador.

O

- **octágono**

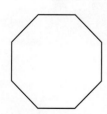

Un polígono que tiene ocho lados.
Este es un ejemplo de un octágono.

Ver **polígono**

- **onza (oz)**

  La onza es una unidad del sistema usual de peso.
  La forma abreviada de escribirla es oz.
  16 oz = 1 lb

  El peso de una rebanada de pan es
  aproximadamente 1 onza.

P————————————

- **para las**

  Las 9:40 a.m. es lo mismo que decir que faltan
  20 minutos para las 10 a.m.

- **paralelogramo**

  Un cuadrilátero con dos lados opuestos paralelos.
  Solo los lados opuestos de un paralelogramo deben ser iguales.

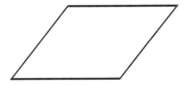 

  Estos son ejemplos
  de paralelogramos.

  Ver **cuadrilátero** y **líneas paralelas**

- **partes iguales**

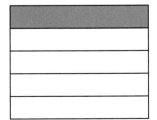

  Este entero está formado por 5 partes iguales.
  $\frac{1}{5}$ es 1 de las 5 partes iguales.

- **pentágono**

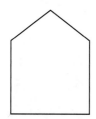

Un polígono que tiene cinco lados.
Este es un ejemplo de un pentágono.

Ver **polígono**

- **perímetro**

El perímetro es la distancia que rodea una figura. El perímetro puede medirse en unidades lineales como centímetros, pulgadas, metros y pies.

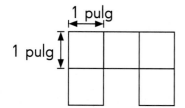

El perímetro de esta figura es 12 pulgadas.

- **pie (ft)**

El pie es una unidad del sistema usual de longitud. La forma abreviada de escribirlo es ft.
1 ft = 12 pulgadas

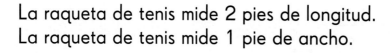

La raqueta de tenis mide 2 pies de longitud.
La raqueta de tenis mide 1 pie de ancho.

- **pie cuadrado (ft²)**

  El pie cuadrado es una unidad del sistema usual
  de medida para medir un área.
  La forma abreviada de escribirlo es ft².

  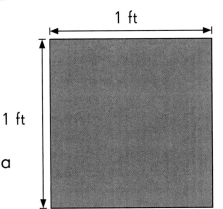

  1 ft

  1 ft

  Un cuadrado de 1 pie de lado tiene un área
  de 1 pie cuadrado (ft²).

- **pinta (pt)**

  La pinta es una unidad del sistema usual de capacidad.
  La forma abreviada de escribirla es pt.
  1 pt = 2 tz

- **polígono**

  Una figura plana cerrada formada por tres o más segmentos.

       Estos son ejemplos de polígonos.

  Ver **figura plana cerrada**

- **pulgada (pulg)**

  La pulgada es una medida del sistema usual de longitud. La forma
  abreviada de escribirla es pulg.
  12 pulg = 1 pie

  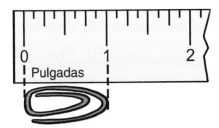

  El clip mide 1 pulgada de longitud.

  Ver **pie**

pulgada cuadrada (pulg²)

La pulgada cuadrada es una unidad del sistema usual de medida para medir un área.
La forma abreviada de escribirla es pulg².

Este es un cuadrado de 1 pulgada.
Su área es 1 pulgada cuadrada (pulg²).

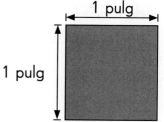

punto

Una ubicación exacta en el espacio.

•
A

Este es el punto A o A.

punto de referencia

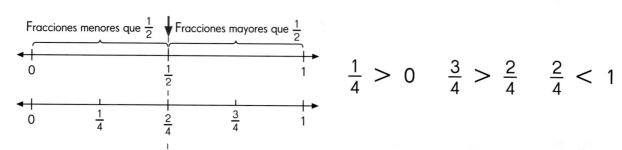

$$\frac{1}{4} > 0 \qquad \frac{3}{4} > \frac{2}{4} \qquad \frac{2}{4} < 1$$

Los puntos de referencia más comunes para comparar fracciones son 0, $\frac{1}{2}$ y 1.

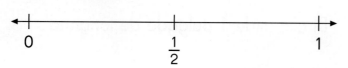

recta numérica

Esta es una recta numérica.
Usa una recta numérica como ayuda para hallar fracciones equivalentes y para comparar fracciones.

- **rombo**

Un paralelogramo con lados que tienen la misma longitud.

Ver **paralelogramo**

- **rotar**

Girar una figura alrededor de un punto para cambiar su posición.

Ver **girar**

- **segmento**

Un segmento es una línea recta. Tiene dos extremos.

Este es el segmento *CD*.

C

D

- **simetría**

Ocurre cuando dos mitades de una figura coinciden exactamente al doblar la figura a lo largo de una línea.

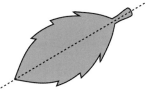

- **tangrama**

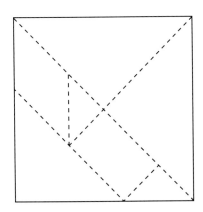

Un tangrama está formado por siete polígonos que se pueden agrupar para formar un cuadrado.

- ## taza (tz)

  La taza es una unidad del sistema usual de capacidad.
  La forma abreviada de escribirla es tz.

- ## temperatura

  Medida que nos indica cuán caliente o fría está una cosa.

- ## termómetro

  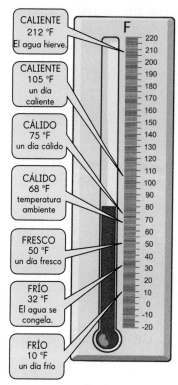

  Los termómetros se usan para medir la temperatura.

- ## tiempo transcurrido

  La cantidad de tiempo que ha pasado entre el comienzo y el fin
  de una actividad.

  Comienzo: Fin:

     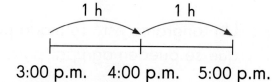   

  La práctica de fútbol de Tom duró 2 horas.
  2 horas es el tiempo transcurrido entre las 3 p.m. y las 5 p.m.

- **tonelada (T)**

  La tonelada es una unidad del sistema usual de peso.
  La forma abreviada de escribirla es T.
  El peso de un automóvil es 1 tonelada.

U

- **unidades cuadradas**

  Unidades como el centímetro cuadrado, la pulgada cuadrada,
  el pie cuadrado o el metro cuadrado, que se usan para medir el área.

V

- **vértice**

  vértice

  Un punto donde se encuentran dos lados de un polígono.

- **volumen**

  El volumen es la cantidad de líquido que hay en un recipiente.

Y

- **yarda (yd)**

  La yarda es una unidad del sistema usual de longitud. La forma abreviada
  de escribirla es yd.

  Esta es una regla de una yarda. →

  La planta mide 1 yarda de altura.

Índice

Las páginas en fuente normal pertenecen al Libro del estudiante A.
Las páginas en fuente azul pertenecen al Libro del estudiante B.
Las páginas en *itálicas* pertenecen al Cuaderno de actividades (CA) A.
Las páginas en *itálicas y fuente azul* pertenecen al Cuaderno de
actividades (CA) B.
Las páginas en **negrita** indican dónde se presenta un término.

Las páginas en fuente normal pertenecen al Libro del estudiante A.
Las páginas en fuente azul pertenecen al Libro del estudiante B.
Las páginas en *itálicas* pertenecen al Cuaderno de actividades (CA) A.
Las páginas en *itálicas y fuente azul* pertenecen al Cuaderno de actividades (CA) B.
Las páginas en **negrita** indican dónde se presenta un término.

Las páginas en fuente normal pertenecen al Libro del estudiante A.
Las páginas en fuente azul pertenecen al Libro del estudiante B.
Las páginas en *itálicas* pertenecen al Cuaderno de actividades (CA) A.
Las páginas en *itálicas y fuente azul* pertenecen al Cuaderno de
actividades (CA) B.
Las páginas en **negrita** indican dónde se presenta un término.

Las páginas en fuente normal pertenecen al Libro del estudiante A.
Las páginas en fuente azul pertenecen al Libro del estudiante B.
Las páginas en *itálicas* pertenecen al Cuaderno de actividades (CA) A.
Las páginas en *itálicas y fuente azul* pertenecen al Cuaderno de actividades (CA) B.
Las páginas en **negrita** indican dónde se presenta un término.

Las páginas en fuente normal pertenecen al Libro del estudiante A.
Las páginas en fuente azul pertenecen al Libro del estudiante B.
Las páginas en *itálicas* pertenecen al Cuaderno de actividades (CA) A.
Las páginas en *itálicas y fuente azul* pertenecen al Cuaderno de actividades (CA) B.
Las páginas en **negrita** indican dónde se presenta un término.

Photo Credits